图书在版编目(CIP)数据

100篇咏水诗文/尉天骄主编.—南京:河海大学出版社,2009.3

(水文化教育丛书/郑大俊,鞠平总主编)

ISBN 978-7-5630-2551-0

Ⅰ.1… Ⅱ.尉… Ⅲ.①诗歌—作品集—世界 ②散文—作品集—世界 Ⅳ.I11

中国版本图书馆CIP数据核字(2009)第042844号

书　　名	100篇咏水诗文
书　　号	ISBN 978-7-5630-2551-0/I·69
责任编辑	朱婵玲
特约编辑	杨　曦
责任校对	蒋乃珺　刘书含
装帧设计	南京千秋企划广告有限公司
出版发行	河海大学出版社
经　　销	江苏省新华发行集团有限公司
地　　址	南京市西康路1号(邮编:210098)
电　　话	(025)83737852(行政部) (025)83722833(发行部) (025)83786934(编辑部)
排　　版	南京理工大学印刷厂
印　　刷	南京工大印务有限公司
开　　本	750毫米×1020毫米　1/16
印　　张	17.25
字　　数	291千字
版　　次	2009年7月第1版
印　　次	2009年7月第1次印刷
定　　价	680.00元/套(共10册)

(河海大学出版社图书凡印装错误可向本社调换)

总策划

张长宽

总主审

林萍华

总主编

郑大俊　鞠　平

副总主编

吴胜兴　王如高　李乃富

咏水诗文100篇

主编 尉天骄
副主编 林一顺

弘扬先进水文化，促进水利事业又好又快发展

——《水文化教育丛书》序言

文化是民族的血脉和灵魂，是国家发展、民族振兴的重要支撑。一个民族的文化，凝聚着这个民族对世界和生命的历史认知和现实感受，积淀着这个民族最深层的精神追求和行为准则。党的十七大把文化建设摆在更加突出的位置，对兴起社会主义文化建设新高潮、推动社会主义文化大发展大繁荣作出了全面部署。先进水文化是中华优秀文化的重要组成部分。弘扬和建设先进水文化，为水利事业又好又快发展提供文化支撑，是摆在我们面前的一个重大而紧迫的课题。

我国是一个拥有悠久治水历史的国家，在中华民族五千年文明史中，我们的祖先创造了光辉灿烂的水文化。这些文化，有的以物质形态存在，如都江堰、大运河、坎儿井等举世闻名的水利工程，以及水利工程技术、治水器械工具等物质产品；有的以

制度形态存在，如以水为载体的风俗习惯、宗教仪式、社会关系和社会组织、法律法规；有的以精神形态存在，如对水的认识、有关水的价值观念、与水相关的文化心理和文化特征等。这些璀璨的水文化，已经深深熔铸在中华民族的血脉之中，成为民族生存发展和国家繁荣振兴取之不尽、用之不竭的力量源泉。

新中国成立之后，党和国家领导人民进行了规模空前的水利建设，取得了辉煌的成就。特别是 1998 年特大洪水以后，水利部党组认真贯彻落实科学发展观，按照全面建设小康社会和构建社会主义和谐社会的要求，根据中央水利工作方针，认真总结经验教训，尊重基层和群众的实践创造，与时俱进地提出了可持续发展的治水思路，进行了一系列卓有成效的探索，开启了水利实践的新征程，为水文化建设注入了新的时代内涵。人与自然和谐的治水理念、以人为本的治水宗旨，扬弃了我国传统的治水文化观念，体现了科学发展观的要求；一大批水利水电工程的建设，有力地保障了经济社会发展，激发了民族自豪感，为当代和后人积累了宝贵的物质和精神财富；水利科技创新的突破，水利信息化的推进，显著提升了我国水利的科技含量和现代化水平，武装和改造了传统水利；节水防污型社会建设的深入开展，依法治水的不断推进，促进了传统治水方式和水管理制度的深刻变革；"献身、负责、求实"的水利行业精神，"万众一心、众志成城，不怕困难、顽强拼搏，坚韧不拔、敢于胜利"的伟大抗洪精神，体现了民族精神的精华，丰富了时代精神和社会主义核心价值体系的内涵。这是水文化传统与新时期水利实践相结合的丰硕成果，必将永远激励着我们不断奋斗前进。

当前和今后一个时期，是全面建设小康社会的关键时期，也是传统水利向现代水利转变的关键时期。我们要把科学发展观的根本要求与可持续发展的治水思路的探索实践结合起来，把全面建设小康社会的宏伟蓝图与水利发展的长远目标结合起来，把人民群众过上更好生活的新期待与水利工作的着力点结合起来，进一步增强水利对经济社会发展和改善民生的保障能力，不断创造无愧于时代要求的先进水文化，推动社会主义文化大发展大繁荣。要深入挖掘和弘扬传统水文化的丰富内涵，努力在继承优秀水文化传统的基础上铸造先进水文化；要善于从当今时代波澜壮阔的水利实践中汲取新鲜养分，努力展现先进水文化鲜明的时代特征和强烈的时代气息，更好地适应水利发展与改革的需要；要把培育和弘扬水利行业精神作为建设先进水文化的重要任务，努力把先进水文化更好地融入社会主义核心价值体系之中，激发广大水利干部职工投身水利实践的热情和干劲。

弘扬和建设先进水文化，要坚持研究与教育相结合、普及与提高相结合、继承与创新相结合，向全行业、全社会展示水文化研究成果，普及水文化基本知识，开展水文化宣传教育，不断推动水文化建设在服务水利发展与改革中取得新的实效。我们很高兴地看到，河海大学充分发挥学科优势和学术实力，组织了一批专家、学者，从水利名人、江河湖泊、咏水诗文、城市与水、水工程、水灾害、水用具、水景观、水传说、水歌曲等诸多方面，精心梳理、深入挖掘、全面概括千百年来人类水文化的积淀，编写了《水文化教育丛书》。这套丛书系统地介绍了优秀的传统水文化，宣传了可持续发展的治水思路，展示了水利发展与改革成就，彰显了水利精神，是水利宣传的良好平台、文化传播的优秀载体。希望以《水文化教育丛书》的出版为契机，把水文化的研究和建设推向一个新的阶段，拓宽水利视野，更新治水理念，弘扬水利精神，推进传统水利向现代水利转变。同时也希望通过广泛而深入的水文化教育，呼唤全社会进一步关注水、珍惜水、爱护水，关心水利、支持水利、参与水利，共同谱写水利发展与改革的新篇章。

陳雷

二〇〇八年三月廿八日

前言

水是人类文明的起源，也是引发人智慧、情感的媒介。孔子感叹“知(智)者乐水”，其实，不仅“知者”如此，普通人也是这样。亲水是人的天然情怀，当人面对形态各异的水体时，往往会本能地产生愉悦的感受。一般人们说到自然美景，往往是“山水”并称，而游山玩水历来就是人人向往的乐事。可见，在人们的心目中，水是一种让人亲近、给人快乐的审美资源。在这个意义上，我们每一个人都是“知者”。

但是，对事物仅仅止于本能的喜欢是不够的。认识事物，包括对事物的审美感受和体验，需要超越直觉，向深入发展。毛泽东同志说过，感受了的东西不见得能够理解它，理解了的东西才能更好地感受它。对当代大学生而言，学习和鉴赏前人关于水的记载、描写、体验、感悟，对于充实知识、陶冶心灵、启迪智慧，进而增强对水文化的认识，无疑有着切实的促进作用。中外作家、学者以水为素材而创作的大量作品，是人类文化遗产中重要的精神财富，需要后人去继承、发扬。但这方面的文献资料太丰富，可以说是浩如烟海，这就给大学生的阅读带来了选择的困惑——弱水三千，如何取一瓢饮？本书的编写意在解决这一现实矛盾，为大学生提供一个适用而又有效的读本。

编者从古今中外写水的诗、文中精心选出100篇(长文采用节选形式)，编成本书。选篇时注意内容的新颖性和整体性。有些名篇，如苏轼的《念奴娇·赤壁怀古》，已为人熟知，没有再选；一些名句，如李白的“黄河之水天上来，奔流到海不复回”，杜甫的“不尽长江滚滚来”等，虽然写水很有特色，但全篇不以写水为主要内容，也只好割爱。书名为“咏水”，这里的“咏”是广义的，既包括文学意义上的描写和歌咏，也包含了思想理论上的探索和评判，还包含了历史性质的记载和再现。全书所选的都是有趣味、有价值的好作品，值得认真阅读和品评，有的篇目最好能熟读成诵。

按照内容侧重点的不同，100篇诗文分为四辑：“实用之水”部分侧重从历史、社会生活的角度看“水之用”，有助于读者了解水在中华文明发展史上的作用;“智慧之水”中的作品侧重于展示哲人、思想家因水而生发出的思想与智慧,能够对今人的思想有所启发;“优美之水”是从审美角度出发,所选诗文侧重于展示一类美学风格的水,它们给人的感受通常是秀美、纯洁、清丽;“壮美之水”也是出于审美角度,所选诗文主要描写另一类美学风格的水,那就是奔腾、浩瀚、壮阔,有气势,有力度,让人心胸开阔,精神振奋。阅读这些诗文,将会使大学生提高欣赏水之美的能力。前两辑各16篇,后两辑各34篇。篇数的安排,体现了编者的用意——给予审美的内容以更多的篇幅。

每一篇诗文,除必要的文字注释之外,还附有一个简短的“赏析”,注重从水文化的角度切入,旨在引导阅读和理解。这些赏析仅为一家之见,并非权威解读。读者可以超越,可以质疑,也可以在此基础上提出自己创造性的新理解。

参加本书编写工作的,是河海大学公共管理学院和常州校区的教师(以姓氏笔画为序):纪玲妹,陈家洋,林一顺,易前良,高新春,尉天骄。对编者来说,这项工作是一次新的尝试,大家也在编写过程中体会到了很多的乐趣。

希望本书能够给大学生带来阅读的喜悦和收获,并真诚欢迎来自专家、学者和大学生的批评指正。

编　者

2008年春

目　录

壹 实用之水

贰 智慧之水

叁 优美之水

肆 壮美之水

壹 实用之水

1. 鲧禹治水①

洪水滔天。鲧窃帝之息壤以堙洪水②，不待帝命。帝令祝融杀鲧于羽郊③。鲧復生禹④。帝乃命禹卒布土以定九州⑤。

[注 释]

①本篇节选自《山海经·海内经》，题目为编者所加。鲧(gǔn)：我国传说中原始时代的部落首领，奉尧之命治水，采用筑堤防水的方法，九年未治平，被舜杀于羽山。另一种说法是他与禹同为治水有功之人。《山海经》，古代地理著作，作者不详。内容主要为民间传说中的地理知识，包括山川、道里、民族、物产、祭祀、巫医等，保存了不少远古神话传说。②帝：身为天帝的黄帝。《山海经》中反映的黄帝，部落酋长形象与天帝形象兼而有之，但更主要的是天帝的形象。息壤：神话传说中一种能自己生长、永不耗减的土壤，又称息土。堙(yīn)：堵塞，填塞。③祝融：传说中的古帝，以火施化，后人尊为火神。羽郊：羽山之郊。羽山在今山东郯城东北，传说是鲧被杀的地方。另一种说法是羽山在今山东蓬莱东南。④復：同“腹”。《山海经·海内经》郭璞注引《归藏·启筮》云：“鲧殛死，三岁不腐，剖之以吴刀，是用出禹。”⑤卒：最终。

[赏 析]

水带给人类的祸福远远超过其他自然物，因而成为人类最早产生并延续最长久的自然崇拜之一。鲧禹治水的传说大概起源于《山海经》中的这段

记载。上古时期酿成空前灾害的洪水泛滥，给人类留下难以磨灭的记忆：“汤汤洪水方割，荡荡怀山襄陵。”(《尚书·尧典》)“昔上古龙门未开，吕梁未发，河出孟门，大溢逆流，无有丘陵沃衍平原高阜，尽皆灭之，名曰鸿水。”(《吕氏春秋·爱类》)但在神话观念中，洪水滔天是身为天帝的黄帝用以惩罚下民的手段，这与西方基督教经典《圣经·创世记》中的“耶和华见人在地上罪恶很大，就后悔造人在地上，(便)使洪水泛滥在地上，毁灭天下”的记载相类似，都是先民借助想像和幻想把自然力拟人化的表现。鲧“不待帝命”，窃息壤“以堙洪水”的行为，让人想起古希腊神话中从天上盗取火种带到人间，为人类造福，而触怒主神宙斯，遭神鹰啄食肝脏的普罗米修斯的形象。鲧虽被杀，但天帝不得不命令其子禹“布土以定九州”，取得了最终的胜利。鲧禹治水的神话，表现了古人与自然力的斗争和对理想的追求，这其中虽有崇拜祖先的意识，但更突出了歌颂治水英雄的主题。

这则神话简短精炼，极具概括性。开头“洪水滔天”的描写，突如其来并笼罩全篇，为神话人物活动提供了有力而生动的背景。“帝令祝融杀鲧于羽郊”的记载，刻画出天帝的震怒和凶残，而“鲧復生禹”的叙述，则形象地揭示了鲧禹父子前仆后继的关系。

2. 管子论水①

凡立国都，非于大山之下，必于广川之上②。高毋近旱，而水用足；下毋近水，而沟防省。（《管子·乘马》）

地之不可食者③，山之无木者，百而当一④。涸泽⑤，百而当一。流水，网罟得入焉⑥，五而当一。……泽，网罟得入焉，五而当一。（《管子·乘马》）

江海虽广，池泽虽博，鱼鳖虽多，罔罟必有正⑦，船网不可一财而成也⑧。（《管子·八观》）

水者，地之血气，如筋脉之通流者也。故曰：水，具材也⑨。何以知其然也？曰：夫水淖弱以清，而好洒人之恶⑩，仁也；视之黑而白，精也；量之不可使概⑪，至满而止，正也；唯无不流，至平而止，义也；人皆赴高，己独赴下，卑也⑫。卑也者，道之室，王者之器也，而水以为都居⑬。（《管子·水地》）

水者何也？万物之本原也，诸生之宗室也⑭。美恶、贤不肖、愚俊之所产也⑮。……是以圣人之化世也⑯，其解在水。故水一则人心正⑰，水清则民心易⑱……是以圣人之治于世也，不人告也⑲，不户说也⑳，其枢在水㉑。（《管子·水地》）

［注 释］

①管子，即管仲(？—前645)，字夷吾，春秋初期政治家，曾为齐国相，辅佐桓公建立霸业。《管子》一书，相传为管仲撰，实系战国时人乃至汉代学者假托其名编纂而成，但较为全面地反映了管仲的治国理念、哲学观点和管理思想。本书选文依照《管子》书中的先后顺序。②广川：大河。③地之不可食者：不出产粮食的土地。④百而当一：一百亩折合一亩。⑤涸泽：干涸的湿地。⑥网罟(gǔ)得入：可以捕

鱼。罟：网。⑦正：正确的管理。⑧船网不可一财而成：渔民不能专靠单一的捕捞获财(可兼做他业，多种途径)。⑨具材：具备一切之才。⑩"夫水淖(nào)弱以清"两句：水柔弱而清澈，专洗人身的污秽。⑪概：量具。⑫卑：谦卑。⑬都居：聚居。都：聚集。⑭诸生之宗室：一切生命的根本。⑮此处以下有一段文字，分别论述齐、楚、越、秦、晋、宋等不同地区的水与民风的特点，今日看来不尽正确，未选。有兴趣者可查阅原文。⑯化世：教化世人。⑰水一：水清纯不杂。⑱民心易：民心单纯。⑲不人告：不逐个告诫。⑳不户说：不逐户劝说。㉑枢：关键。

［赏 析］

《管子》一书对水的论述是比较丰富的，其主要特点是从国家、社会管理的实用角度论述水的作用。其中包含了很多具有社会意义的水文化观念，值得今人关注。本书所选第一则指出了国都与水的关系，这对于今天的城市建设仍有重要参考价值。从第二则可以看出，在《管子》的时代，政府的管理者不仅把贫瘠地、荒山进行折算，而且把沼泽、水面也根据不同情况折算，可见当时已经把水视为与土地同样有价值的基本民生资源。第三则提出，即使拥有丰富的水资源，对于水产(鱼鳖之类)的捕捞也要有限制，不能竭泽而渔，渔民获财也不能单纯依靠捕捞。这种观念已经具有了可持续发展的含义。第四则具有美学的比喻意味，从水的不同形态、性质引申出水的美德，认为水具有"仁"、"精"、"正"、"义"、"卑"等多种道德上的优点，与孔子、孟子的论述有相同之处。可见，多方面认识水的美德在古代圣哲中是常见的思路。第五则把水看作"万物之本原，诸生之宗室"，具有哲学意义，与古希腊哲学中关于"水是构成世界基本元素之一"的思想相通。《管子》把"水"理解为教化人心、治理国家的关键，水之清浊与社会人心密切联系，言辞固然有夸大之处，但众所周知，水在中国社会中的作用至关重要，水的问题解决了，社会人心容易安定。从这一点看，《管子》的话还是有道理的。

3.《史记》记载的三件水利大事[①]（节选）

司马迁

夏书曰[②]：禹抑洪水十三年[③]，过家不入门。陆行载车，水行载舟，泥行蹈毳[④]，山行即桥[⑤]。以别九州[⑥]，随山浚川，任土作贡[⑦]。通九道，陂九泽，度九山[⑧]。然河菑衍溢[⑨]，害中国也尤甚。唯是为务。故道河自积石历龙门[⑩]，南到华阴，东下砥柱，及孟津、雒汭，至于大邳[⑪]。于是禹以为河所从来者高，水湍悍，难以行平地，数为败，乃厮二渠以引其河[⑫]。北载之高地，过降水，至于大陆[⑬]，播为九河[⑭]，同为逆河[⑮]，入于勃海[⑯]。九川既疏，九泽既洒[⑰]，诸夏艾安[⑱]，功施于三代[⑲]。

……于蜀，蜀守冰凿离碓[⑳]，辟沫水之害[㉑]，穿二江成都之中。此渠皆可行舟，有余则用溉浸，百姓飨其利[㉒]。至于所过，往往引其水益用溉田畴之渠，以万亿计，然莫足数也。

……韩闻秦之好兴事，欲罢之[㉓]，毋令东伐，乃使水工郑国间说秦[㉔]，令凿泾水自中山西邸瓠口为渠[㉕]，并北山东注洛三百余里，欲以溉田。中作而觉[㉖]，秦欲杀郑国。郑国曰："始臣为间，然渠成亦秦之利也。"[㉗]秦以为然，卒使就渠。渠就，用注填阏之水[㉘]，溉泽卤之地四万余顷[㉙]，收皆亩一钟[㉚]。於是关中为沃野，无凶年，秦以富强，卒并诸侯，因命曰郑国渠。

[注 释]

①本文节选自《史记·河渠书》。题目为编者所加。②夏书：《尚书》中有《禹贡》等四篇文章，旧时称为夏书。《禹贡》成书于周秦时代，记载了我国古代地理方面的内容。③抑：遏，阻挡。④毳(cuì)：在泥路上行走的用具，通"橇"。⑤桥：一说为直辕车，另一说为下部有钉的鞋(类似于今日的登山鞋)。后说似更合理。⑥别九州：为九州划界。⑦任土作贡：根据土地的不

同情况确定贡赋的差别。⑧“通九道”三句：通九州之道，障遏其泽，商度其山（根据山的不同情况确定贡赋）。“度九山”句，另一说为度量山势，以知水之所会。后说似更合理。⑨河菑衍溢：菑（zǎi），通“灾”。衍，漫流。⑩道：通“导”，疏导。⑪大邳：在今河南修武附近。⑫厮：分，即分其流。⑬大陆：大陆泽，在今河北南部，又名巨鹿泽。⑭“播为九河”句：播，分。九河，“九”不一定是确指，即“多”意。⑮逆河：入海的河流，在近海的河段，会有海水进入河流，俗称“潮水河”。逆，通“迎”。⑯勃海：即渤海。⑰洒：分。另一说同“陂”（圩岸）。后说似更合理。⑱艾（yì）安：太平无事。⑲施（yì）：延续。⑳离碓：即“离堆”，山名，又名灌山口，李冰凿之以分江水。㉑辟：通“避”。㉒飨：享受。㉓罢：通“疲”，“消耗”之意。㉔郑国：人名。间：离间。㉕邸：至。瓠口：在今陕西泾阳附近。㉖觉：发现。㉗《汉书·沟洫志》记载郑国此话，下还有“臣为韩延数岁之命，而为秦建万世之功”。㉘阏：通“淤”。填阏：淤泥地。㉙泽卤之地：低洼盐碱地。㉚钟：古代计量器具，也为容量单位。一钟约合600多升。

[赏 析]

《史记·河渠书》记载了大禹至汉武帝时代的水利大事件。本书节选的三段，记载了大禹治水、李冰建都江堰、秦国修郑国渠三件大事。由此可见，历史上著名水利人物的治水，都是兴水之利、避水之害的。

在古代神话传说中，禹的父亲鲧是以“堵”治水的，而禹改为“疏导”。由《史记·河渠书》的记载可知，禹起初也是以“堙”治洪水，经过反复实践探索，才改为以“导”为主，由此奠定了华夏水利千秋之功。《史记·河渠书》记载的大禹治水事迹，有助于后人全面理解大禹精神：他具有把治水与利国利民结合起来的爱国精神，“三过家门而不入”的奉献精神，在顺应自然中克服人水矛盾的科学精神。李冰父子主持建造了都江堰，这项2 200多年前的水利工程至今仍在造福于人民，都江堰也因此而成为世界水利史上的辉煌一页。而秦国修建郑国渠，原本是深受秦国侵略之苦的韩国为使秦国精力分散而想出的一条“疲秦之计”，结果却反被秦王所重视，坚持把工程修建下去，最终使关中农业得到灌溉开发，关中平原成为秦国的粮仓。“疲秦之计”反成“强秦之策”，秦国一统天下，韩国最终还是灭亡了。郑国渠在后代已湮灭，后人在其遗址上又修建了新的水利工程，至今仍在发挥效用。

4. 千泉[①]

玄　奘[②]

素叶城西行四百余里[③]，至千泉。千泉者，地方二百余里，南面雪山，三陲平陆[④]。水土沃润，林树扶疏[⑤]，暮春之月，杂花若绮[⑥]，泉池千所，故以名焉。突厥可汗每来避暑[⑦]。中有鹿群，多饰铃环，驯狎于人[⑧]，不甚惊走。可汗爱赏，下命群属，敢加杀害，有诛无赦[⑨]。故此群鹿，得终其寿。

[注　释]

①本文节选自《大唐西域记》卷一。千泉：又名屏聿，故址在今吉尔吉斯山脉之麓。②玄奘（602—664），通称三藏法师，俗称唐僧。唐高僧、佛教学者、旅行家。唐太宗贞观三年（629年）从凉州出玉门关西行赴天竺，在那烂陀寺从戒贤受学，后游学天竺各地，历时17年，贞观十九年回到长安，翻译了大量佛教典籍。著有《大唐西域记》一书。③素叶城：即碎叶城，故址在吉尔吉斯北部托克马克附近，当时属唐朝管辖，为东西方交通要道。④三陲平陆：陲，边地。平陆，平地。⑤扶疏：枝叶茂盛而疏密有致。⑥绮：有花纹的丝织品。⑦突厥可汗：突厥族的君主。突厥，古族名，隋时分为东突厥和西突厥，这里指西突厥。可汗，古代鲜卑、突厥、回纥、蒙古等族君主的称号。⑧驯狎于人：对人驯服亲近。狎，亲近。⑨有诛无赦：受到诛杀而不予宽恕。赦，免罪。

[赏　析]

《大唐西域记》写玄奘西行取经的亲身经历，在作者笔下，不乏对沿途所

经历的西域诸国的一些恶劣生存环境的描述——“暴风奋发，飞沙雨石”，“居人稀旷，闾巷荒芜，邑里荒芜，城郭颓毁”，“沙则流漫聚散随风，人行无迹遂多迷路”，而这一切都是因为缺水。戈壁荒漠严重的干旱，几乎灭杀了一切生机。只有当清泉流进干涸的土地，荒漠才会有生命的涌动和创造，才能生长出绿洲和希望。也正因为如此，所以当读者看到“千泉”这一段记载时，心情就犹如长途跋涉者在赤日下的茫茫沙原上看到了绿树的浓荫。

文章首先交代自己的行程和千泉所处的地理方位、地理环境，描述千泉的绮丽风光，说明其得名的缘由。水是生命的源泉，水使这里土壤沃润，林木茂盛，鲜花盛开，而千股清泉汩汩喷涌，让此处呈现出“北国江南”的异景，这就使突厥可汗顺理成章地将千泉作为自己的避暑胜地和鹿群的栖身之所。作者对鹿群的“多饰铃环，驯狎于人，不甚惊走”的描写，反映了当地民众对野生动物的驯养和野生动物与人的亲近，而“可汗爱赏，下命群属，敢加杀害，有诛无赦”则突出了官方在保护自然生态环境方面所采取的严厉措施，读者也可从鹿群“得终其寿”的结果推想当时千泉地区长时期绿意四溢的生命奇迹。

5. 陇头水①

王　建②

陇水何年陇头别，　不在山中亦呜咽。
征人塞耳马不行，　未到陇头闻水声。
谓是西流入蒲海③，还闻北去绕龙城④。
陇东陇西多屈曲，　野麋饮水长簇簇⑤。
胡兵夜回水傍住，　忆著来时磨剑处。
向前无井复无泉，　放马回看陇头树。

[注 释]

①“陇头水”为乐府诗题。后人多以此题写征人家乡之思。陇山是今六盘山南段的别称。②王建(约766—约830)，中唐诗人，字仲初，颍川(今河南许昌)人。擅长乐府诗，与张籍齐名，时称“张王乐府”。③蒲海：蒲昌海，即罗布泊，在今新疆维吾尔自治区若羌县北，今已干涸。④龙城：汉朝时匈奴地名，又称龙庭。另一说在今内蒙古自治区锡林郭勒盟境内。⑤麋：一种哺乳动物。毛淡褐色，雄性有角，角像鹿，尾像驴，蹄像牛，颈像骆驼，俗称四不像。原产中国，是一种稀有的珍贵兽类。簇簇：聚集在一起的样子。

[赏 析]

《陇头水》为乐府诗题，后人多以此题写征人家乡之思，王建此诗也可作如是观，尤其是最后两句，将征人内心的隐痛写得含而不露，让人读来倍觉

深沉。不过，诗歌直接写征人的并不多，像第三句“征人塞耳马不行”，虽然提到“征人”，实则是以征人塞耳来反衬陇水巨大的声响。事实上，本诗在写作上的一个重要特点是通过铺叙式的笔法来描绘边塞环境的恶劣，而边塞环境的恶劣实际上已经隐含着诗人反映征人之苦的写作意旨了。撇开诗人的写作意旨不谈，本诗对边塞环境的描绘，却为我们了解古代西北地区的水环境打开了一扇窗。当然，诗歌在写景状物时，难免有艺术加工的成分在里面，比如本诗，有些地方的描绘就用了夸张手法。尽管如此，本诗在某种程度上还是能够反映出古代西北地区水环境状况的。

从本诗所描绘的内容来看，古代西北地区的水环境有两个特点。第一是陇水流量很大，水势汹涌。这一点又可从两个层次来看，首先，由于山势险峻，水在流动时落差较大，声响也就较大，以致“征人塞耳马不行，未到陇头闻水声”；其次，由于道路之“屈曲”，水的流向蜿蜒曲折，以致很难搞清楚它流动的路线：“谓是西流入蒲海，还闻北去绕龙城。”蒲海即罗布泊，当时还没有干涸，可能是西北地区水系的重要组成部分。第二个特点是水资源分布不均衡，离开了陇水，进入沙漠或戈壁则是“无井复无泉”，一片荒凉。西北地区河流较少，陇水的重要性就凸显出来了，不仅野麋成群结队来到河边饮水，而且士兵也傍水而住，以水磨剑。离开陇水继续前行，遂让人对陇水充满依赖和依恋之情，可见水对于古代西北地区的生活是多么重要。

6. 引水行[1]

李群玉[2]

一条寒玉走秋泉[3]，　引出深萝洞口烟。
十里暗流声不断，　行人头上过潺湲[4]。

［注 释］

①引水：山区民众用竹筒、木槽、石槽把山泉引到家中。行：歌行，乐府诗的一种。②李群玉（813—860），字文山，唐代诗人，澧州（今湖南澧县）人。诗风流丽，韵致幽远。③寒玉：这里指竹筒。④潺湲（chán yuán）：水流声。

[赏 析]

水在文学作品中往往是作为审美对象或托物言志的客体出现的，本诗则是歌咏人对水的利用，这种视角在古代文学作品中是比较独特的。如果从人水关系的角度来看，人对水的“用”更为本质，也更加接近生活的本原。

诗歌描绘了我国南方山区特有的、富于情趣的风光。竹筒节节相连，蜿蜒于苍茫的群山之间，把清冽甘甜的泉水引到山民的田间灶头，叮咚潺湲，一路欢歌。这是一种由人力创造的美景。本诗的字里行间也洋溢着新奇与喜悦之情，体现出诗人对人利用自然、改造自然行为的赞美。

7. 天坛神橱井[①]

王士祯[②]

京师土脉少甘泉，　顾渚春芽枉费煎[③]。
只有天坛石甃好[④]，　清波一勺卖千钱。

[注 释]

①神橱井：即北京天坛祈年殿神橱院里的一口井，俗名祈年井，上建井亭，水味甘洌，为外城之冠，明清两代皇帝每年正月到祈年殿祭天，均用此井水制作祭品。因水费昂贵，百姓要喝上此井水殊为不易。现在，井亭建筑仍在，外侧立有刻着上述诗歌的诗碑，井水早已干涸。（本资料出自段天顺、李永善编著的《水和北京》，中国水利水电出版社 2006 年 11 月出版）②王士祯(1634—1711)，字子真，号阮亭，别号渔洋山人，新城(今山东桓台)人。清代著名诗人，“神韵派”代表人物。③顾渚：地名，在今浙江湖州，产名茶。春芽：指茶叶。④甃(zhòu)：此处指井壁。

［赏 析］

在自来水使用之前，北京像其他北方城市一样，民众生活用水主要靠水井。据清代人记载，清代北京城里约有 1 200 多眼井。但是，那时北京的水井，水质好的少，多数水质咸苦。本诗所写的就是因为水质不好，连饮茶品茗也受到影响，纵有上好茶叶也难以煎出茶的美味。其实，诗人所说的饮茶，只是选取生活中的一个“点”，读者由此可以窥斑知豹。水质不好，影响的绝不仅仅是饮茶之类的小趣味，而是联系着更为广泛的社会内容。清代曾有诗歌写到北京某处苦井变甜井的传说，可见百姓对于甘甜井水的渴盼。本诗所写的北京天坛祈年殿的神橱井，就是这样一眼珍贵的甜水井。但甘甜的井水价格不菲，普通百姓难以承受。那时，街头到处可见卖水的车子，普通百姓光吃甜水吃不起，就买点甜水跟自家井里的水掺和使用。节省人家一般常备三种水：苦水洗涮，混合水煮饭，甜水泡茶。

饮用水，是人最基本的生活需求，它联系着千家万户，关系到社会的稳定、和谐。从昔日北京城咸苦的井水到今天清洁甘洌的自来水，标志着时代的发展、城市的繁荣、生活质量的提高。本诗写的是北京的井水，反映的却是一个涉及全国、全球的最普遍、最根本的问题。从其他类似的文字中，今人也可以了解饮用水发展的历程，进而认识水利（水务）工作的重要价值。

8. 潞河竹枝词[①]（二首）

钱国珍[②]

潞河风景擅清华[③]，　半接山城半水涯。
十万粮艘春贡到，　饭炊香稻漉桃花[④]。

野田云布麦苗齐，　草软沙平快马蹄。
几树绿杨桥跨水，　游人错认范公堤[⑤]。

[注 释]

①潞河：即北运河。竹枝词：仿民歌的文人创作体裁，始于唐代，后代延续不绝。②钱国珍，生卒年不详，清代作家，江苏江都人。③清华：水清木华，风景秀丽。④漉：液体往下渗。⑤范公堤：北宋范仲淹于天圣五年在苏北地区的盐城、兴化、泰州一带修治水利，兴建海堰，保证了农业丰收，人们赞其功绩，称为“范公堤”。本诗以“范公堤”的美称，形容潞河的堤防。

[赏 析]

北运河是京杭大运河的北段，以北京通州为起点。在古代，京杭大运河的主要功能是漕运，为都城北京解决粮食供应问题。据文献记载，清代每年漕运的粮食大约是300万石～400万石。运河不仅承担了南粮北运的任务，还把南方的其他物产如竹木、茶叶、丝绸、水果、花卉等运送到北方。大运河直接带来了南北经济的交流，也形成了运河沿岸城镇带的繁荣。从本诗可以看出北运河一带在清代兴旺发达的景象。河中十万粮船，舳舻相接，气势浩荡。两岸店铺林立，饭炊飘香。阳春时节，两岸绿杨挺拔，小桥流水，桃花沾露，麦苗葱茏，一派安详怡人的田园风光。潞河堤岸平阔，既是水利设施，

有利于农业生产，又是春日纵马、放松心情的好去处。文学是社会生活的反映，古代文学在很大程度上具有形象记载历史的功能。本诗中的北运河生活图画，也许含有文学夸张的成分，但从中还是能够看出当时运河繁荣的历史景象。本诗描写的生活场景，可以作为后人了解京杭大运河历史的形象资料。

9. 黄河渡口

阮章竞[1]

昭君坟[2]，古渡口，
风有牙，沙有爪。
黄泥水，打转流，
礁石嶙嶙不露头。
漩涡深又大，
一个吞两牛！

黄风躁，黄浪暴，
木船似要翻跟斗。
渡客在船舱直打抖，
艄公汗水透棉袄。
上岸回头伸舌头：
昭君坟，古渡口！

风难猜，云难测，
千古黄河惹不得！
蛇群乱钻的昭君坟，
月昏昏，草黑黑。
谁曾给古老野渡头，
带来点春天的好颜色！

羊肠小道，黄沙路，
铲运机，开通途。
草原上要建钢都，
一夜春风把草吹绿。

黄河头，古野渡，
红白小旗翻飞舞。

大船横断水中流，
铁锚砸碎暗礁头。
钢钻探进黄河底，
战书下到龙王手！
浪低头，水发抖，
老艄公初次展眉头。

昭君坟，古渡口，
黄沙天，要改气候。
请看明天大坝起，
指令黄河分一道水，
捋去万古黄泥，
变作清水流。

等看北岸红炉照紫天，
来听南岸黄莺鸣绿柳。
黄河头，古渡口，
草儿青，野花娇，
艄公桨声欢，
渡客歌声好。

古渡口，昭君坟，
人造湖，水如镜。
作伴不是昏昏月，
不是寒星和流萤，
而是繁灯千千万，
紫光不灭的钢铁城。

[注 释]

①阮章竞(1914—2000)，广东中山人，著名诗人。②昭君坟：位于内蒙古达拉特旗昭君坟乡的黄河南岸，与包头市隔河相望。

[赏 析]

本诗写于1957年，不可避免地带着特定时代的印记。尽管如此，也依然能给读者以审美的冲击。诗歌以浪漫主义笔法极写黄河古渡口的险要，以及人们改造黄河古渡口的坚强意志，格调高昂，风格豪迈，整体上透着一种英雄主义的气概。

诗歌前三节极写黄河古渡口昭君坟的恶劣环境。诗人主要是从三个层面去表现的：首先，选择具体的事物——风、沙、水、礁石、漩涡等，并将这些事物写到极处，比如河水是打转流，一个漩涡可以吞下两头牛！这些事物组合在一起，构成了一个恶劣、残酷的地理空间，这个空间正是黄河古渡口水环境的艺术写照。其次，通过船与浪的搏斗，通过老艄公伸舌头的表情烘托了黄河风浪之峻急，由于人在画面上的出现，使得这一幅"黄河风浪图"极富形象性。最后，以概括式的手法，从整体上赋予昭君坟渡口一种阴森可怖的印象——"蛇群乱钻"，"月昏昏，草黑黑"，毫无春天的颜色！因此诗人才说"千古黄河惹不得"。自第四节以后，诗人描述了人们为了改变黄河古渡口恶劣的环境，以蓬勃之志、火热之情投入社会主义建设的情景，"指令黄河分一道水"恰与前面"千古黄河惹不得"构成鲜明对比，说明在恶劣的水环境面前，人民群众并不是消极无为的，而是在改造自然，使之为人类造福。实践证明，这样的努力已经收到了明显的成效。

10. 戈壁水长流（节选）

袁　鹰[①]

……燥热的风夹着砂砾，在无边无际的戈壁滩上横冲直撞，卷来一阵阵炙人的热浪。节令已属中秋，吐鲁番火洲上却尚无凉意。如果在公路上走上几里路，滚烫的沙土就会烤得脚底发疼。

多么干燥的季节！多么干燥的世界！远方来的客人，才踏上吐鲁番的土地，就禁不住开始发愁了。说它是火洲，真是一点不假。唐代诗人岑参这么写过："火山突兀赤亭口，火山五月火云厚。火云满山凝未开，飞鸟千里不敢来。"（《火山云歌送别》）

可是，你发愁的不仅是为了自己如何在这火山脚下度过这几天。迎着扑面而来的热风，你深深地忧虑着：在这样的土地上，庄稼怎么长？人怎么生活？

刚坐下来，一盘西瓜端上来了，接着又是一盘甜瓜。西瓜是红瓤的，像一块块闪着光的红玛瑙；甜瓜就是内地人常说的哈密瓜，像一块块淡色的翡翠；花一般的香味在空气里飘荡，蜜一般的汁水沿着玛瑙和翡翠往下滴。

人们向你介绍：这些都是吐鲁番的土产。你也许会惊奇地轻轻喊一声："啊！"但是心里可能跟着浮起一个大问号——如此干燥的戈壁滩上怎么结得出瓜果？

当你登上那通红的火焰山——就是岑参诗里反复写到的"火山"，也就是《西游记》里孙悟空大战铁扇公主的火焰山，举目四望，你就会看到这方圆几百公里的戈壁滩上，散布着一块块大大小小的绿洲。它们有深有浅，有浓有淡，色彩分明，如同一位手艺高超的织锦工人，在棕黄色的地毯上精心地织上碧绿的图案。

下了火焰山，……就能看到高粱和玉米长得一片绿油油，就能闻到葡萄醉人的芳香。那一串串宝石似的葡萄，甜汁都快溢出来了。村子里，渠道里的流水淙淙地在流，像一位无忧无虑的乐师在拨动着诱人的琴弦。

水！在干燥的戈壁滩，何尝缺水！

吐鲁番的水，来得并不容易。

古书上说，吐鲁番这个地方，“厥土甚沃，麦一再熟”。据说在维吾尔语里，吐鲁番就是土层很厚的意思。

也许那是几千几百年以前的事了。吐鲁番空有很厚的土层，却没有水。

在吐鲁番的北边，就是天山。高矗云霄的博格达峰上，成年成月戴着白雪的头巾，披着白雪的大氅，不管春夏秋冬，它总是一身洁白。可是，它那源源无尽的雪水一流到戈壁滩，就会被火一样的太阳烧干，就会被沙土漏得涓滴不剩。

莽莽苍苍的大自然，有时候是异乎寻常的吝啬和冷酷的。也许它以为自己一怒之下，不给人类需要的水，人就只能干死，渴死，饿死。

它的算盘并没有打对。

人们抬头凝视着远方巍峨的博格达峰，凝视着终年积聚山头的皑皑白雪，心里有一团火在燃烧：

“难道就再没有出路么？”

“博格达呀博格达，你的白雪难道只是供人观赏的么？”

大自然不给水么？向它去索取！

也不知又过了几千几百年，人们从手上的血泡、脚上的老茧和全身的汗珠里，渐渐地找到了驾驭天山雪水的法宝：让它避开天上狠毒的太阳，避开戈壁滩松软的沙土，让水在地底下流。

传说在古老的年代，有一个年轻的牧人，赶着羊群来到吐鲁番。戈壁滩迎接这个远方来的牧人的，是无边的干旱。年轻的牧人踩遍了戈壁滩一寸寸的土地，找呀找呀，终于找到了一片绿草。草很茂盛，却没有水。年轻的牧人心想：绿草和清水是一对分不开的情人，看到了草，就一定找得着水。可是，他从太阳出找到月亮升，从东找到西，从南找到北，没有看到一滴水。他去问老乡，老乡叹口气，摇摇头：“别费劲了，小伙子。水到不了吐鲁番，在半道上就全叫太阳和戈壁滩收尽了！”

真是这样吗？年轻人不相信。他在绿草边上动手向下挖，挖一尺，挖两尺，没有水的影子；他喘口气，擦一擦汗水，掂一掂手里的坎土镘②，又往下挖。挖五尺，挖六尺，泥土慢慢地变了色；他喘口气，擦一

擦汗水，掂一掂手里的坎土镘，再往下挖。挖一丈，挖两丈，水像珍珠似的从地底钻出来了，水像银线似的从地底冒上来了，终于，一股清冽的泉水从土地深处涌了出来。

年轻的牧人用双手舀起一掬水，对着万里无云的青天，一饮而尽。清凉的水沁入肺腑，这是比甘露还要甜、比美酒还要香的天山雪水。

原来，千年万代，水就是这样秘密地在土地的心脏里流啊！

要叫这股无穷无尽的泉水永远留在戈壁滩，永远哺育吐鲁番的土地，年轻的牧人掂了掂手里的坎土镘，又继续挖了。为了不让水被太阳夺走，他就挖了一道暗渠，叫泉水在暗渠里流；为了让水有个休息和汇集的处所，流上一段路，他就挖一口井。

吐鲁番有多少人在期待着水啊！一代又一代，他们祈祷着，渴望着。如今，水被这个聪明又坚强的年轻人找到了，谁不希望水能流到自己的门前呢？人们就接着再挖一段暗渠，把水往前引，流上一段路，又挖一口井。就这样，一段暗渠一口井，再是一段暗渠一口井，曲曲弯弯，接连不断，一里，两里，五里，十里，二十里……

这就是吐鲁番坎儿井最早的起源。

坎儿井把天山雪水，源源不断地带给吐鲁番人。

庄稼长出来了，瓜儿果儿结出来了，花儿草儿都从泥土里探出头来了。

还能说茫茫的戈壁滩上没有水么？还能说吐鲁番是一块干旱的不毛之地么？

水，有的！它在土地的血管里汩汩地流，不分昼夜地流。而在土地的上面，是看不到的。

奇迹吗？是的，是奇迹。但是，首先应该感谢的是创造奇迹的人！

谁是第一个创造坎儿井的英雄呢？现在已经湮没不可考了。难道真是那个远方来的年轻牧人么？

有的书上记载着：一千多年前，唐朝时候，吐鲁番一带就出现了坎儿井。并且有一说是由内地传来的，可惜这都找不到更多的史实。

有的书上记载着：一百多年前，林则徐谪戍新疆，曾经在吐鲁番管理过水利工程，开了不少坎儿井。这倒引起人们许多兴趣，临风怀想，遐思悠悠，可惜也没有更详尽的材料。

这些也许都无关紧要。坎儿井，本是吐鲁番的维吾尔族、回族和汉族弟兄们在同天公千百年的搏斗里，用血汗凝聚而成的啊！

……

靠了坎儿井，吐鲁番人民年年向大地要来粮食，要来棉花，要来葡萄和瓜果。

靠了坎儿井，吐鲁番人民抗御了多少回风吹雨打，从风口里夺回了多少粮食。

……

［注 释］

①袁鹰(1924—)，本姓田，袁鹰为其主要笔名，江苏淮安人，现代作家，主要从事散文创作。②坎土镘：新疆人使用的一种类似镢头的刨土工具。

［赏 析］

坎儿井，是干旱、半干旱地区人民创造的一种水利工程形式，是世界水利史上的一大奇观。在我国，坎儿井主要分布于新疆，被誉为“地下万里长城”。中国古代文献《管子》中提到，水是土地的血脉。坎儿井正形象地体现了这一关系。关于坎儿井的历史和工程构造，水利专家们有过很多论述。本文主要不是从水利科学的角度着笔，而是从文学角度描写坎儿井如何使戈壁变成了富庶的绿洲。著名作家茅盾也写到，旧时代新疆财主计算财产，往往不举田亩之数而举坎儿井之数，拥有数百乃至数千坎儿井，足以表示其富有程度。由此可见水在当地社会生活中的重要价值。作家笔下的故事传说表明，坎儿井是世代劳动人民在与大自然抗争过程中的创造，显示了劳动人民的卓越智慧。它既是实用性的水利工程，又是人文性的历史遗产。

据资料显示，近 20 年来，坎儿井的发展日渐受到制约，效益减退。如何对坎儿井进行科学的技术改造，使这一历史遗产在新世纪继续发挥效用，是水利工作者必须面对的新课题。

11. 亮晶晶光闪闪的小河水

李　瑛[①]

呼伦贝尔草原的牧民，建草原，战干旱，在辽阔的牧场上开出了引水河。

我们的每只羊羔欢迎你，
我们的每匹马驹欢迎你，
我们的每头牛犊欢迎你，
亮晶晶光闪闪的小河水。

牧民们用劳动号子唤来了你，
战士们用战斗的双手创造了你，
军民一起用咸的汗水引来了你，
亮晶晶光闪闪的小河水。

草原牧女又多了一面镜子，
马场小伙又多了一条带子，
乳厂师傅又多了一根弦子，
亮晶晶光闪闪的小河水。

在茂密的草丛中你闪着明亮的眼睛，
在辽阔的草原上你快乐地呼吸，
在温暖的阳光下你说着美好的理想，
亮晶晶光闪闪的小河水。

你唱着跳着奔向牧场深处，
你摆尾摇头跑向白云里，
你多么天真又多么自豪地向前流去，
亮晶晶光闪闪的小河水。

那毛纺厂传送的羊毛不就是你？

那乳品厂流动的牛奶不就是你？
那大道上奔腾的马蹄不就是你？
亮晶晶光闪闪的小河水。

从你，我还听见多了一百种鸟的歌声，
从你，我还看见多了一百种草的颜色，
从你，我还闻见多了一百种花的香气，
亮晶晶光闪闪的小河水。

老阿布的笑颤动在胡子上②，
老额吉的笑飞溅在泪花中③，
小孙子的笑滚落在酒窝里。
亮晶晶光闪闪的小河水。

是我们用战斗和劳动给了你身体，
是我们用壮志雄心给了你血液，
是我们的理想和爱情给了你生命的一切呀，
亮晶晶光闪闪的小河水……

[注 释]

①李瑛(1926—)，辽宁锦州人，军队作家、诗人。②阿布：蒙语，大爷。③额吉：蒙语，大娘。

[赏 析]

传统游牧民族的生活是“缘水而居，不耕不稼”(《列子·汤问》)。对于他们的生活、生产来说，水资源的重要性是第一位的，有水才会有草，水草丰美是草原人民幸福生活的基础。现代社会中草原人民的生活，不再是仅仅被动地追随自然水源，而是要合理利用自然，把水资源引到草原、牧场，让水为草原人民造福。本诗歌颂了内蒙古呼伦贝尔草原人民在解放军的支援下，开河引水，草原由此而出现了新面貌、新气象。水，给草原带来了牛羊肥壮的丰收景象，带来了畜牧加工业(毛纺厂、乳品厂)的兴旺发展，带来了鸟语花香，带给男女老少幸福的感受。草原人民欣欣向荣的新生活，都是用满怀雄心壮志的劳动创造出来的。这首诗是献给草原新生活的赞歌，也是献给劳动人民的赞歌。

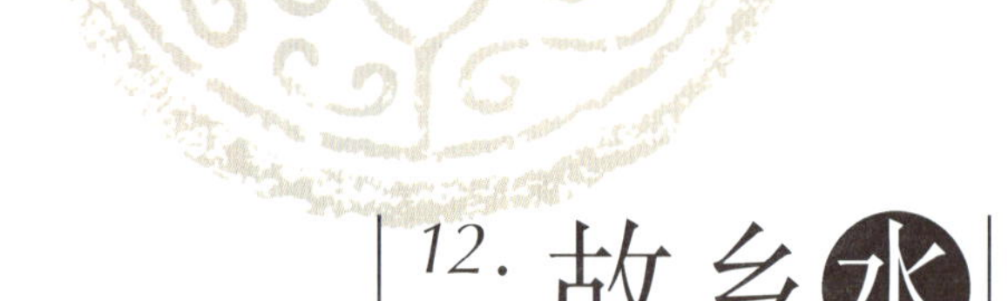

12. 故乡水

汪曾祺[①]

这是三年前的事了。

我坐了长途汽车回我的久别的家乡去。真是久别了啊，我离乡已经四十年了。……窗外的景色依然有着鲜明的苏北的特点，但于我又都是陌生的。宽阔的运河、水闸、河堤上平整的公路、新盖的民房……

快到车逻了。过了车逻，再有十五里，就是我的家乡的县城了，我有点兴奋。

在车逻，我遇见一件不愉快的事。

车逻是终点前一站，下车、上车的不少，车得停一会儿。一个脏乎乎的人夹在上车的旅客中间挤上来了。他一上车，就伸开手向人要钱：

"修福修寿！修儿子！修孙子！"

"修福修寿！修儿子！修孙子！"

他用了我所熟悉的乡音向人乞讨。这是我十分熟悉的乡音。四十年前，我的家乡的乞丐就是用这样的言词要钱的。真想不到，今天还有这样的乞丐，并且还用了这种的言词乞讨。……这人差不多有六十多岁了，但是身体并不衰惫。他长着一张油黑色的脸，下巴翘出，像个瓢把子。他浑身冒出泔水的气味。他的裤裆特别肥大，并且拦裆补了很大的补丁。他有小肠气——这在我的家乡叫做"大卵泡"。

他把肮脏的右手伸向一个小青年：

"修福修寿！修儿子！修孙子！"

邻座另一个小青年说：

"人家还没有结婚！"

"——修个好老婆！"

几个青年同时哄笑起来。我不知道为什么这样一句话会使得他们这样的

高兴。

车上有人给他一角钱、五分钱……

我这次回乡，除了探望亲友，给家乡的文学青年讲讲课，主要的目的是想了解了解家乡水利治理的情况。

我的家乡苦水旱之灾久矣。我的家乡的地势是四边高，当中洼，如一个水盂。城西面的运河河底高于城中的街道，站在运河堤上可以俯瞰堤下人家的屋顶。运河经常决口。五年一小决，十年一大决。民国二十年的大水灾我是亲历的。死了几万人。离我家不远的泰山庙就捞起了一万具尸体。旱起来又旱得要命。离我家不远有一条澄子河，河里能通小轮船，可到一沟、二沟、三垛，直达邻县兴化。我在《大淖记事》里写到的就是这条河。有一年大旱，澄子河里拉起了洋车！我的童年的记忆里，抹不掉水灾、旱灾的怕人景象。在外多年，见到家乡人，首先问起的也是这方面的情况。有一个在江苏省水利厅工作的我的初中同学有一次到北京开会，来看我。他告诉我，我们家乡的水治好了。因为修了江都水利枢纽，筑了洪泽湖大坝，运河的水完全由人力控制了起来，随时可以调节。水大了，可以及时排出；水不足，可以把长江水调进来——家乡人现在可以吃到长江水，水灾、旱灾一去不复返了！县境内河也都重新规划调整，还修了好多渠道，已经全面实现自流灌溉。我听了，很为惊喜。因此，县里发函邀请去看看，我立即欣然同意。

运河的改变我在路上已经看到了。我住的招待所离运河不远，几分钟就走上河堤了。我每天起来，沿着河堤从南门走到北门，再折回来。运河拓宽了很多。我们小时候从运河东堤坐船到西堤去玩，两篙子就到了。现在坐轮渡，得一会子。河面宽处像一条江，原来的土堤全部改为石工。堤面也很宽，堤边密密地种了两层树。在堤上走走，真是令人身心舒畅。

……

农村的变化比城里要大得多。……田都改成了“方田”，到处渠网纵横，照当地的说法是“田成方，渠成网”，渠道都是正南正北，左东右西。渠里悠悠地流着清水，渠旁种了高大的芦竹或是杞柳。杞柳我们那里原来都叫做“笆斗柳”，是编笆斗的，大都是野生的。现在广泛种植了。我和陪同参观的

同志在渠边走着,他们告诉我这条渠"一步一块钱",是说每隔一步,渠边每年可收价值一块钱的柳条。柳条编制的柳器是出口的。我走了几个大队,没有发现一挂过去农村随处可见的龙骨水车,问:

"现在还能找到一挂水车吗?"

"没有了!这东西已经成了古董。现在是,要水一扳闸,看水穿花鞋。——穿了花鞋浇水,也不会沾一点泥。"

"应当保留一挂,放在博物馆里,让后代人看看。"

"这家伙太大了!——可以搞一个模型。"

我问起县里的自流灌溉是怎么搞起来的。

陪同的同志告诉我,要了解这个,最好找一个人谈谈。全县自流灌溉首先搞起来的,是车逻。车逻的自流灌溉是这个人首先搞起来的,这人姓杨。他现在调到地区工作了,不过家还没有搬,他有时回县里看看。我于是请人代约,想和他见见。不料过了两天,一大早,这位老杨就到招待所来找我了。

下面就是老杨同志和我谈话的纪要。

"我是新四军小鬼出身,没搞过水利。"

"那时我还年轻,在车逻当区长。"

"车逻的粮食亩产一向在全县是最高——当然不能和现在比。现在这个县早过了'千斤县',一般的亩产都在一千五百斤以上,有不少地方过'吨粮'——亩产二千斤。那会儿,最好的田亩产五百斤,一般的一二百斤。车逻那时的亩产就可达五百斤。但是农民并不富裕,还是很穷。为什么?因为农本高。高在哪里?车水。车逻的田都是高田。那时候,别处的田淹了,车逻是好年成。平常,每年都要车水。车逻的水车特别长!别处的,二十四轧,算是大水车了。车逻的,三十二轧,三十四轧,三十六轧!有的田得用两挂三十六轧大车接起来,才能把水车上来!车水是最重的农活。到了车栽秧水的日子,各处的人都来。本地的,兴化、泰州,甚至盐城的都来,工钱大,吃食也好。一天吃六顿,顿顿有酒有肉。农本高,高就高在这上头。一到车水,是'外头不住地敲'——车水都要敲锣鼓,'家里不住地烧'——烧吃的;'心里不住地焦'——不知道今天能不能把田里的水上满,一到太阳落山,田里有一角找不到水,这家子就哭咧,——这一年都没指望了。"

我有点不明白,为什么栽秧水必须一天之内车好,第二天接着车不行吗?但是我还没有来得及问。

"'外头不住地敲,家里不住地烧,心里不住地焦',真是一点都不错呀!"

"大工钱不是好拿的，好茶饭不是好吃的。到车水的日子，你到车逻来看看，那真叫'紧张热烈'。到处都是水车，一挂一挂的长龙。锣鼓敲得震天响。看，是很好看的：车水的都脱光了衣服，除了一个裤头子，浑身一丝不挂，腿上都绑了大红布裹腿。黑亮的皮肉，大红裹腿，对比强烈，真有点'原始'的味道。都是年轻的小伙，——上岁数的干不了这个活，身体都很棒，一个赛似一个！赛着踩。几挂大车约好，看哪一班子最后下车杠。坚持不住，早下的，认输。敲着锣鼓，唱着号子。车水有车水的号子，一套一套的：'四季花'、'古人名'……看看这些小伙，好像很快活，其实是在拼命。有的当场就吐了血。吐了血，抬了就走，二话不说，绝不找主家的麻烦。这是规矩。还有的，踩着踩着，不好了把个大卵子忑下来了！"

我的家乡把忽然漏下来叫 te，有音无字，恐怕连《康熙字典》里都查不到，我只好借用了这个"忑"字，在音义上，还比较接近。我找不到别的字来代替它，用别的字都不能表达那种感觉。

我问他，我在车逻车站遇见的那个伸手要钱的人，是不是就是这样得下的病。

"就是的！这人原来是车水的一把好手。他丧失了劳动力，什么也干，最后混成了这个样子！——我下决心搞自流灌溉和这病有直接关系。"

"那年征兵，我跟着医生一同检查应征新兵的体格，——那时的区长什么事都要管。检查结果，百分之八十不合格！——都有轻重不等的小肠气。我这个区的青年有这样多的得小肠气的，我这个区长睡不着觉了！"

"我想：车逻紧挨着运河，为什么不能用上运河水，眼瞧着让运河水白白地流掉？车逻田是高田，但是田面比运河水面低，为什么不能把运河水引过来，浇到田里？为什么要从下面的河里费那样大的劲把水车上来？把运河堤挖通，安上水泥管子，不就行了吗？"

"要什么没有什么。没有经费。——我这项工程计划没有报请上级批准，我不想报。报了也不会批。我这是自作主张，私下里干的。没有经费怎么办？我开了个牛市。"

"牛市？"

"买卖耕牛。区长做买卖，谁也没听说过。没听说过就没听说过吧。我这牛市很赚钱，把牛贩子都顶了！"

"有了钱，我就干起来了！我选了一个地方，筑了一圈护堤。——这一点我还知道。不筑护堤，在运河堤上挖开口子，那还得了！让河水从护堤外面走。我给运河东堤开了膛，安下管子，下了闸门，再把河堤填合，我以为这

事就万事大吉了。一开闸，水流过来了！水是引过来了，可是乱流一气！咳！我连要修渠都不知道！现在人家把我叫成‘水利专家’，真是天晓得！我最初是什么也不懂的。”

“怎么办？我就买了书来看。只要是跟水利有关的，我都看。我那阵看的书真不少！我又请教了好几位老河工。决定修渠！”

“一修渠，问题就来了，为了省工、省料，用水方便，渠道要走直线，不能曲曲弯弯的。这就要占用一些私田。——那阵还没有合作化，田还是各家各户的。渠道定了，立了标竿，画了灰线，就从这里开，管他是谁家的田！农民对我那个骂呀！我前脚走，后脚就有人跳着脚骂我的祖宗八代。骂吧，我只当没听见。我随身都带枪，——那阵区长都有枪，他们也不敢把我怎么样。”

……

“修渠要木料，要板子。——这一点你这个作家大概不懂。不管它，这纯粹是技术问题。我上哪里找木料去？我想了想：有了！挖坟！我把挖出来的棺材板，能用的，都集中起来，就够用了。我可缺了大德了，挖人家的祖坟，这是最缺德的事。我这是没有办法中的办法。为了子孙，得罪祖宗，只好请多多包涵了！经我的手挖的坟真不少！”

“这就更不得了了！我可捅了个大马蜂窝，犯了众怒。当地人联名控告了我，说我‘挖掘私坟’。县里、地区、省里，都递了状子。地委和县委组织了调查组，认为所告属实，我这是严重违法乱纪。地委发了通报。撤了我的职。党内留党查看，——我差一点把党籍搞丢了。”

“‘违法乱纪’，我确实是违法乱纪了，我承认。对于我的处分我没有意见。”

“不过，车逻的自流灌溉搞成了。”

“就说这些吧。本来想请你上我家喝一盅酒，算了吧，——人言可畏。我今天下午走，回来见！”

对于这个人的功过我不能估量，对他的强迫命令的作风和挖掘私坟的做法无法论其是非。不过我想，他的所为，要是在过去会有人为之立碑以记其事的。现在不兴立碑，——“树碑立传”已经成为与本义相反用语了，不过我相信，在修县志时，在“水利”项中，他做的事会记下一笔的。县里正计划修纂新的县志。

这位老杨中等身材，面白皙，说话举止温文尔雅，像一个书生，完全不像一个办起事来那样大刀阔斧、雷厉风行的人。

我忽然好像闻到一股修车轴用的新砍的桑木的气味和涂水车龙骨用的生桐油气味。这是过去初春的时候在农村处处可以闻到的气味。

再见，水车！

[注 释]

①汪曾祺(1920—1997)，江苏高邮人，当代著名作家。

[赏 析]

《故乡水》是一篇纪实性作品。作家回乡见到家乡水利事业的飞速发展，很感欣慰。在文中，汪曾祺以复杂的情绪记录了老杨的治水经过，再现了故乡那一段悲壮的治水历史。不过，作者并非为了写人而写人，而是将“写人”纳入到“写水”的框架之中，这从题目“故乡水”也可看出。

文章的基本思路是“故乡水”的今昔对比。过去，水给故乡带来的“害”大于“利”。由于故乡的特殊地形——如同一个水盂，其中又有一些高田，因而涝灾、旱灾频仍交替。水患时，人民深受其害。作者以纪实性的笔法为我们展开一幅悲怆的历史图卷：民国二十年的水灾夺去了几万人的生命，仅在泰山庙就捞出一万具尸体。而旱灾同样可怕，作者通过老杨之口描绘了一幅震撼人心的车水画面：“外头不住地敲，家里不住地烧，心里不住地焦。”为了车水栽秧，年轻人以性命与天抗争，有的累到当场吐血，有的导致身体残废。文章一开头所写的乞丐乞讨场景，初读似觉多余，但作者行文非常巧妙，后面的文字即与之形成呼应：干旱需要车水，而长期辛苦的车水使很多年轻人得了这种奇怪的病。在写到“故乡水”的今天时，作者抑制不住自己的兴奋之情，对焕然一新的水利面貌进行了由衷的夸赞。同时，作者还以实录的方式记述了老杨的事迹。作为区长，老杨有强烈的责任感，果断决定治河。而从老杨治河过程中面临的矛盾可以看出，治水不仅是在改造自然，同时也是在协调社会、改革思想意识，它不仅是工程技术问题，也含有人文社会方面的工作内容。

13. 老残论海河

周汝昌①

没有海河，就不会有天津。海津镇，这名字起得真好，是大手笔——直到今天，也没离开这两个大字而另有“新招”，这就是证明，就是那手笔行之所以为高。

虽说津字本义是摆渡口，可也早就当河流、溪水的代称而运用了。比如，那通往桃花源的水，陶渊明的《记》原用“溪”字称之，但到诗人笔下，就说成是“两岸桃花夹去津”了（“去”，或作“古”。兹不题外纠缠）。那么，“海河”一名，早由“海津”二字包括在里头了。

海河以什么出名？有人说是鱼虾。我不指这个。我指的是它以弯曲出名。

早先有人嫌海河这么多弯子，可是真够讨厌——不但行船费劲儿，还容易闹水灾。因此，某年某月，就实施过“裁弯取直”的治河上策。这件事不难“考证”，有确切历史记载，而且实施之后，如何革患收益，如何缩短交通时力，也会有科学数据。因此，这早成定案，是受称赞的好事与善政。似乎没听说过有什么异议。

万事都有例外。谁也没想到却有一人说是不然。

此人是谁？提起他，虽非功勋盖世，倒也名闻四海——就是老残先生。没看过《老残游记》的，也听说过这位奇人。

老残对我乡海河的这多弯曲的问题怎么看法？请听——

“那一回是老残因有人荐贤，从上海乘‘顺天号’海轮北上，满怀抱负，要

为那清末朝廷的颓势危局出谋划策，治国兴邦。海轮走了整三天三夜，第四日拂晓，已到大沽口。他听船员对乘客说，‘这条河道行船很是困难，弯弯曲曲。要改成直河，至少可节省两个钟头。’老残闻言，不觉心中一动，就问船员，此河常淤塞否。答云，‘上游子牙河、大清河等常有淤塞，海河倒没有听说淤过——只有冬天冰冻封口。’——”

“老残暗暗点头，心想：当初开河的人是个行家，深明利用河湾激水刷沙之理。倘是直河，水流快，泥沙慢，不用几十年，河就淤塞了。”

你看，由这儿可知，老残是位治河专家，《游记》里这是一大关目；听他此论，果然与俗见大为异趣。我由此才敢“独立思考”：这样看来，当初的那一番“裁弯取直”，劳民伤财不说，还许是个大错误。

在此要赶紧声明：我不懂治河，我之“拥护”老残的“弯曲论”，完全是由于我自有一段私心和偏见，——我的故乡，那可爱的地方景色风貌，就是因为那个裁弯给裁得日益不像个样子起来。这事情使我总是不能释然于怀。

敝沽之所以被“裁”，完全是因为“敝弯”特大，不敢说属全河首位，也数第二吧。未“裁”之先，那河身原比我所能目见的要宽几倍，从小听父老都讲：你们府上的“同河码头”，是本地最出名的胜地，海船货物，粮食木材，吞吐量可大啦，而且有几百年的特大古柳，苇塘一望无限，夕阳照着帆樯，影子卧在河水上。洋火轮（按即后来为轮船者也）一直从大沽通天津，从打这儿过，一到这码头，火轮上的毛子们（按即今称“老外”者是也）就都拿着“相匣子”（按即今之所谓“照相机”者是也）照那柳树，和你们园子里那楼的景子……

后来呢？现在呢？老柳，苇林，帆樯，什么都没了，河也成了一条难看的“沟”；特美的虹桥飞跨于河边，自然也只能从《清明上河图》里去寻找“似曾相识”了。

所以变化如此之巨大甚惊，固然原由并非一端，但我认为那“裁弯”毕竟是个毁坏敝沽美好景物的罪魁祸首。——那么，我听了

老残先生忽发此论，怎能无所动于敝衷呢？

闲话休提。如今且说，老残那话，却使我又想起一个题目来：无人不晓，天津本来叫"直沽"的，记载般般可以互证无疑，而且还有大直沽、小直沽的细分别。可是这就奇了！既名"直"沽，可知此河的特点就是特直而少曲。再说，自古九河下游，百川汇海的尾闾，几度黄河入海的终点——其水之远势盖不可当！它流到这儿，还会有"工夫"再去"九曲而行"吗？决不可能，绝无此理！它（这么一小段）的"直"，是必然的。

奇就奇在这里了——它怎么又变成了那么多的弯子呢？难道海河两岸的堤土特级特性，能使河水由直流而不得不越来越曲？这岂不是个大谜？

我没看过治河与水利研究的著述，很是寡闻少学，所以见了老残那段议论，颇为惊奇，以为是"发前人所未发"，而依他的见解，那曲是因为出自内行的开河者。

这么一说，就是等于表明：海河原本是个"直河"，而后来是由高明的治河专家将它改造成为"九曲"的。

是这样子吗？甚盼博雅君子赐以指点，开我陋怀。

海河是天津的命脉，它的盛衰兴替，它的澄洁污浊，它的风光物象，——它的一切，都直接而深切地关系着津门沽上的美好与否，兴隆与否，忧否喜否，赞否叹否。老残是清末丹徒人氏，一进大沽口，便有感怀和见地。我们津沽本乡人，若于海河无所关切，无所动心，岂不有愧于它乎？

[注 释]

①周汝昌（1918—　），天津人，著名学者，在《红楼梦》研究等多个学术领域皆有建树。

[赏 析]

周汝昌是著名的人文学者，于水利工程并无专门研究。尽管如此，此文却很能启发人们的思考。

文章就老残论海河的观点而展开。海河的"裁弯取直"在大多数人眼中皆可说是一种"善举"，因为它能够获得直接的经济效益，所谓"革患收益"，所谓"缩短交通时力"等。然而早在清末小说《老残游记》中，老残即表达了

不同看法。在老残看来，海河之“曲”可以激流刷沙；海河之“直”则导致水流快、泥沙慢，时日一长，便使河流淤塞。老残的这一论点在水利工程上能否站得住脚，需要专家来评定，但我们不妨把它理解为一种有参考意义的思路。如果说老残的泥沙之论还停留在经济层面上，那么文章接下来所说到的，“我的故乡，那可爱的地方景色风貌”，因“裁弯取直”而“不像个样子”，则是上升到人文层面上了。老柳、苇林、帆樯，当年的胜景不复存在，在作者看来，这与“裁弯取直”有直接关系。从景观审美的角度来看，“曲水”胜于“直水”，这是与实用的角度有所不同的，作者的观点显然含有这样的意味。以下一层，作者又由“直沽”之名推论，海河本为直河，后由高明的治河专家将其变为“九曲”。但作者对此也不是绝对肯定，他盼望“博雅君子赐以指点”，既是谦虚，更含有对家乡建设的关心，希望大家都能关注海河的事情。

本文的写作意图并非在于否定“裁弯取直”的海河治理方案，而是希望能在更高的层面上，从更长远的利益角度，以更开阔的视野来治理河流，从而为水利工程引入一种人文的观照。也正因如此，本文带给我们许多思考。不妨如此概括一下：水利工程建设对改善我们的生活极具意义，不可因小害而裹足；但同样，也不可因小利而盲动。

14. 三月桃花水①

刘湛秋②

是什么声音，像一串小铃铛，轻轻走过村边？是什么光芒，像一匹明洁的丝绸，映照着蓝天？

呵，河流醒来了！三月的桃花水，舞动着绮丽的朝霞，向前流呵，有一千朵樱花，点点洒上了河面，有一万个酒窝，在水中回旋。

三月的桃花水，是春天的竖琴。

每一条波纹，都是一根轻柔的弦；那细白的浪花，是响着有节奏的鼓点。那忽大忽小的水波声，应和着田野上拖拉机的鸣响；那纤细的低语，是在和刚刚从雪被里伸出头来的麦苗谈心；那碰着岸边石块的叮叮，像是大路上车轮滚过的轮声；那急流的水声浪声，是在催促着农家开犁播种呵！

三月的桃花水，是春天的明镜。

它看见燕子飞过天空，翅膀裹着白云；它看见垂柳披上了长发，如雾似烟；它看见一群姑娘来到河边，水底立刻浮起一朵朵红莲，她们捧起了水，像抖落一片片花瓣；它看见村庄上空，很早很早，就袅袅升起了炊烟……

比金子还贵呵，三月桃花水；

比银子还亮呵，三月桃花水。

呵，地上草如茵，两岸柳如眉，三月桃花水，叫人多沉醉。呵，多多地装吧，装进我们心灵的酒杯！

[注 释]

①桃花水：即桃花汛，桃花盛开时发生的河水暴涨。

②刘湛秋(1935—)，安徽芜湖人，当代作家。

[赏 析]

这是一首活泼轻快、情景交融的抒情散文诗。作者以饱蘸激情的笔墨着重描写春水，注重美感，以景传情，语言生动流畅，节奏活泼欢快，韵味无穷，引人入胜。

作品在结构上分三个层次。开头两段为第一层次，摹写按季节到来的桃汛给人听觉和视觉上的感受。作者用多种修辞手法，写出桃花水的声响和形态，接着又用诗化的语言，回答开头的提问，突出桃花水的绮丽、妩媚、潺湲。用樱花点缀河面，令人赏心悦目；以酒窝比喻漩涡，则让人沉迷陶醉。

第二层次把“三月的桃花水”分别喻为“春天的竖琴”、“春天的明镜”，从对客体的感觉上着力，深入摹写桃花水的声音、形态：前一部分侧重表现桃汛的波声浪声，并使之与拖拉机的鸣响、汽车的轮声相应和，构成春耕交响曲，而声中也有形；后一部分侧重描写春水倒映的动态的景物和人物，构成春天的风情画，形中也有声。诗人笔下的景物，色彩鲜明，栩栩如生，富有浓郁的诗情画意。

第三层次则重在因景抒情：作者先以倒装句的形式，用比拟呼告的语气和反复的辞格，突出桃花水的“贵”和“亮”，增加了语势，用诗化的语言，完成全篇，再次突出了赞美春水、赞美春天的主题。

15. 都江堰[①]

余秋雨[②]

一

我以为，中国历史上最激动人心的工程不是长城，而是都江堰。

长城当然也非常伟大，不管孟姜女们如何痛哭流涕，站远了看，这个苦难的民族竟用人力在野山荒漠间修了一条万里屏障，为我们生存的星球留下了一种人类意志力的骄傲。长城到了八达岭一带已经没有什么味道，而在甘肃、陕西、山西、内蒙一带，劲厉的寒风在时断时续的颓壁残垣间呼啸，淡淡的夕照、荒凉的旷野溶成一气，让人全身心地投入对历史、对岁月、对民族的巨大惊悸，感觉就深厚得多了。

但是，就在秦始皇下令修长城的数十年前，四川平原上已经完成了一个了不起的工程。它的规模从表面上看远不如长城宏大，却注定要稳稳当当地造福千年。如果说，长城占据了辽阔的空间，那么，它却实实在在地占据了邈远的时间。长城的社会功用早已废弛，而它至今还在为无数民众输送汩汩清流。有了它，旱涝无常的四川平原成了天府之国，每当我们民族有了重大灾难，天府之国总是沉着地提供庇护和濡养[③]。因此，可以毫不夸张地说，它永久性地灌溉了中华民族。

有了它，才有诸葛亮、刘备的雄才大略，才有李白、杜甫、陆游的川行华章。说得近一点，有了它，抗日战争中的中国才有一个比较安定的后方。

它的水流不像万里长城那样突兀在外，而是细细浸润、节节延伸，延伸的距离并不比长城短。长城的文明是一种僵硬的雕塑，它的文明是一

种灵动的生活。长城摆出一副老资格等待人们的修缮，它却卑处一隅，像一位绝不炫耀、毫无所求的乡间母亲，只知贡献。一查履历，长城还只是它的后辈。

它，就是都江堰。

二

我去都江堰之前，以为它只是一个水利工程罢了，不会有太大的游观价值。连葛洲坝都看过了，它还能怎么样？只是要去青城山玩，得路过灌县县城，它就在近旁，就乘便看一眼吧。因此，在灌县下车，心绪懒懒的，脚步散散的，在街上胡逛，一心只想看青城山。

七转八弯，从简朴的街市走进了一个草木茂盛的所在。脸面渐觉滋润，眼前愈显清朗，也没有谁指路，只向更滋润、更清朗的去处走。忽然，天地间开始有些异常，一种隐隐然的骚动，一种还不太响却一定是非常响的声音，充斥周际。如地震前兆，如海啸将临，如山崩即至，浑身起一种莫名的紧张，又紧张得急于趋附。不知是自己走去的还是被它吸去的，终于陡然一惊，我已站在伏龙馆前，眼前，急流浩荡，大地震颤。

即便是站在海边礁石上，也没有像这里这样强烈地领受到水的魅力。海水是雍容大度的聚会，聚会得太多太深，茫茫一片，让人忘记它是切切实实的水，可掬可捧的水。这里的水却不同，要说多也不算太多，但股股叠叠都精神焕发，合在一起比赛着飞奔的力量，踊跃着喧嚣的生命。这种比赛又极有规矩，奔着奔着，遇到江心的分水堤，刷地一下裁割为二，直窜出去，两股水分别撞到了一道坚坝，立即乖乖地转身改向，再在另一道坚坝上撞一下，于是又根据筑坝者的指令来一番调整……也许水流对自己的驯顺有点恼怒了，突然撒起野来，猛地翻卷咆哮，但越是这样越是显现出一种更壮丽的驯顺。已经咆哮到让人心魄俱夺，也没有一滴水溅错了方位。阴气森森间，延续着一场千年的收伏战。水在这里，吃够了苦头也出足了风头，就像一大拨翻越各种障碍的马拉松健儿，把最强悍的生命付之于规整，付之于企盼，付之于众目睽睽。看云看雾看日出各有胜地，要看水，万不可忘了都江堰。

三

这一切，首先要归功于遥远得看不出面影的李冰。

四川有幸，中国有幸，公元前251年出现过一项毫不惹人注目的任命：李冰任蜀郡守。

此后中国千年官场的惯例，是把一批批有所执持的学者遴选为无所专攻的官僚④，而李冰，却因官位而成了一名实践科学家。这里明显地出现了两种判然不同的政治走向。在李冰看来，政治的含义是浚理，是消灾，是滋润，是濡养，它要实施的事儿，既具体又质朴。他领受了一个连孩童都能领悟的简单道理：既然四川最大的困扰是旱涝，那么四川的统治者必须成为水利学家。

前不久我曾接到一位极有作为的市长的名片，上面的头衔只印了“土木工程师”，我立即追想到了李冰。

没有证据可以说明李冰的政治才能，但因有过他，中国也就有过了一种冰清玉洁的政治纲领。

他是郡守，手握一把长锸⑤，站在滔滔的江边，完成了一个“守”字的原始造型。那把长锸，千年来始终与金杖玉玺、铁戟钢锤反复辩论。他失败了，终究又胜利了。

他开始叫人绘制水系图谱。这图谱，可与今天的裁军数据、登月线路遥相呼应。

他当然没有在哪里学过水利。但是，以使命为学校，死钻几载，他总结出治水三字经（“深淘滩，低作堰”）、八字真言（“遇弯截角，逢正抽心”），直到20世纪仍是水利工程的圭臬⑥。他的这点学问，永远水气淋漓，而后于他不知多少年的厚厚典籍，却早已风干，松脆得无法翻阅。

他没有料到，他治水的韬略很快被替代成治人的计谋；他没有料到，他想灌溉的沃土将会时时成为战场，沃土上的稻谷将有大半充作军粮。他只知道，这个人种要想不灭绝，就必须要有清泉和米粮。

他大愚，又大智。他大拙，又大巧。他以田间老农的思维，进入了最澄彻的人类学的思考。

他未曾留下什么生平资料，只留下硬扎扎的水坝一座，让人们去猜详。人们到这儿一次次纳闷：这是谁呢？死于两千年前，却明明还在指挥水流。站在江心的岗亭前，“你走这边，他走那边”的吆喝声、劝诫声、慰抚声，声声入耳。没有一个人能活得这样长寿。

秦始皇筑长城的指令，雄壮、蛮吓、残忍；他筑堰的指令，智慧、仁慈、透明。有什么样的起点就会有什么样的延续。长城半是壮胆半是排场，世世代代，大体是这样。直到今天，长城还常常成为排场。

都江堰一开始就清朗可鉴，结果，它的历史也总显出超乎寻常的格调。李冰在世时已考虑事业的承续，命令自己的儿子作3个石人，镇于江间，测量水位。李冰逝世400年后，也许3个石人已经损缺，汉代水官重造高及3米的“三神石人”测量水位。这“三神石人”其中一尊即是李冰雕像。这位汉代水官一定是承接了李冰的伟大精魂，竟敢于把自己尊敬的祖师，放在江中镇水测量。他懂得李冰的心意，唯有那里才是他最合适的岗位。这个设计竟然没有遭到反对而顺利实施，只能说都江堰为自己流泻出了一个独特的精神世界。

石像终于被岁月的淤泥掩埋，本世纪70年代出土时，有一尊石像头部已经残缺，手上还紧握着长锸。有人说，这是李冰的儿子。即使不是，我仍然把他看成是李冰的儿子。一位现代作家见到这尊塑像怦然心动，“没淤泥而蔼然含笑，断颈项而长锸在握”，作家由此而向现代官场衮衮诸公诘问⑦：活着或死了应该站在哪里？

出土的石像现正在伏龙馆里展览。人们在轰鸣如雷的水声中向他们默默祭奠。在这里，我突然产生了对中国历史的某种乐观。只要都江堰不坍，李冰的精魂就不会消散，李冰的儿子会代代繁衍。轰鸣的江水便是至圣至善的遗言。

四

继续往前走，看到了一条横江索桥。桥很高，桥索由麻绳、竹篾编成。跨上去，桥身就猛烈摆动，越犹豫进退，摆动就越大。在这样高的地方偷看桥下会神志慌乱，但这是索桥，到处漏空，由不得你不看。一看之下，先是惊吓，后是惊叹。脚下的江流，从那么遥远的地方奔来，一派义无返顾的决绝势头，挟着寒风，吐着白沫，凌厉锐进。我站得这么高还感觉到了它的砭肤冷气⑧，估计它是从雪山赶来的罢。但是，再看桥的另一边，它硬是化作许多亮闪闪的河渠，改恶从善。人对自然力的驯服，干得多么爽利。如果人类干什么事都这么爽利，地球早已是另一副模样。

但是，人类总是缺乏自信，进进退退，走走停停，不停地自我耗损，又不断地为耗损而再耗损。结果，仅仅多了一点自信的李冰，倒成了人们心中的神。离索桥东端不远的玉垒山麓，建有一座二王庙，祭祀李冰父子。人们在

虔诚膜拜，膜拜自己同类中更像一点人的人。钟鼓钹磬[9]，朝朝暮暮，重一声，轻一声，伴和着江涛轰鸣。

李冰这样的人，是应该找个安静的地方好好纪念一下的，造个二王庙，也合民众心意。

实实在在为民造福的人升格为神，神的世界也就会变得通情达理、平适可亲。中国宗教颇多世俗气息，因此，世俗人情也会染上宗教式的光斑。一来二去，都江堰倒成了连接两界的桥墩。

我到边远地区看傩戏[10]，对许多内容不感兴趣，特别使我愉快的是，傩戏中的水神河伯，换成了灌县李冰。傩戏中的水神李冰比二王庙中的李冰活跃得多，民众围着他狂舞呐喊，祈求有无数个都江堰带来全国的风调雨顺，水土滋润。傩戏本来都以神话开头的，有了一个李冰，神话走向实际，幽深的精神天国一下子贴近了大地，贴近了苍生。

[注 释]

①本文选自散文集《文化苦旅》。②余秋雨(1946—)，浙江余姚人，当代艺术理论家、散文家，上海戏剧学院教授，主要著作有《中国戏剧文化史述》、《文化苦旅》、《千年一叹》等。③濡(rú)养：滋润哺育。④遴(lín)选：选拔。⑤锸(chā)：挖土工具，铁锹。⑥圭臬(guī niè)：原指圭表(臬就是测日影的表)，这里比喻准则或法度。⑦衮衮(gǔn gǔn)：连续不断，众多。衮衮诸公：居高位而无所作为的官僚。诘(jié)问：追问，责问。⑧砭(biān)肤冷气：刺痛皮肤的冷气。砭：用石针扎皮肉治病。⑨钟鼓钹(bó)磬(qìng)：四种乐器。钹，用两个圆铜片相互拍打发声。磬，用石或玉雕成，悬挂于架上，敲击而鸣。⑩傩(nuó)戏：驱鬼逐疫、表现鬼神生活的戏剧。

[赏 析]

都江堰是中国水利史上的著名工程，也是中国水文化史上的奇观。余秋雨的这篇游记，不但对这个古代工程及其周边的景物作了具体、生动的描述，而且更立足现代，从历史和文化的高度，对古代的人物和事件进行审视，具有很强的思辨色彩，给读者以启迪。作品缜密精细的艺术构思，主要表现在这样几个方面：

一是借助对比凸现主题。文章一开始就把都江堰与长城作对比，指出长城“占据了辽阔的空间”，而都江堰“占据了邈远的时间”；长城的“社会功

用早已废弛”，而都江堰却至今还在造福人间，从而得出长城固然伟大，但“永久性地灌溉了中华民族”的都江堰更伟大的结论。在文章的第三部分，作者又将李冰治理水利的韬略和嬴政修筑长城的指令进行对比，抨击了后者的“雄壮、蛮吓、残忍”，颂扬了前者的“智慧、仁慈、透明”。

二是描述和议论有机结合。文章从内容和结构上分为四个部分，第一和第三部分重在对比评说，以分析、议论为主要表达方式，作考证，抒感慨，作评判，引发读者思索；第二和第四部分交代游踪和见闻，以叙述、描写为主要表达方式，记古迹，写景物，叙风俗，使人如临其境。这样的穿插安排，再加上各部分的浓郁抒情笔调，使得物与理、景与情、感觉和思辨、客观与主观达到了高度的统一。

三是多种辞格综合运用。这篇游记内容丰富多彩，笔法挥洒自如，作者巧用拟人、比喻、衬托、对比、排比、借代、对偶等修辞手法写景状物，分析议论，抒情说理，容量大，含义深，耐人寻味。像“那把铁锸，千年来始终与金杖玉玺、铁戟钢锤反复辩论”这段议论，就运用了借代、拟人等辞格，形象生动，令人深思；像“水在这里，吃够了苦头也出足了风头，就像一大拨翻越各种障碍的马拉松健儿，把最强悍的生命付之于规整，付之于企盼，付之于众目睽睽”这段描写，就运用了拟人、比喻、排比三种辞格，富于动感，情景交融，给读者留下了深刻的印象。

16. 星落尼罗河（节选）

林清玄[1]

……尼罗河是我梦想多年的地方，但是第一眼看到尼罗河时，心里有说不出的失望。一个埃及导游带领我们从市区往郊外走，先是高耸的大楼、精美的回教寺院、穿梭来往的人群，然后走到坟墓区，导游正在说明埃及人如何注重来生，因此他们的坟墓都是一个家庭聚在一起，盖得像院落，那孤独坐在墓区的，是富有人家请来看守坟墓的人。走着走着，他指向眼前一条并不开阔的河流，不经意地说："这是尼罗河！"

"尼罗河！"我们惊叹起来，颇为眼前这一条脏黑的河流是尼罗河而不敢相信自己的眼睛，埃及人知道我们的意思，他苦笑着说："这一定不是你们想像的尼罗河，但有哪一条流过都市的河流是干净的呢？"我们笑起来，在脑中寻思着所有经过都市的河流，确实在记忆中不曾有一条是干净的，尼罗河自然不能例外。就像埃及人所说，尼罗河从发源地维多利亚尼安撒湖开始向北流，一开始全是洁净的，到了开罗三角洲以后混沌一片，是全长四千英里的尼罗河最脏的一段。

他说："都市，是任何自然的敌人，在都市里，山水花木都不能干净，人自然也不能干净了。"我颇为这满脸胡碴的埃及人说出如此的智慧语而感叹，到后来才知道他的名字叫穆罕默德。

穆罕默德和所有的埃及人一样，对尼罗河含有一种深刻的感恩。说起尼罗河的重要，他说他活到三十多岁了，还没有看过下雨的景象，埃及不知多少年才能下一次雨，至少已经三十年没有下过了。长久的缺乏雨水，埃及人却能一代一代地活下去，那是因为有尼罗河；数千年来，尼罗河不但是埃及人的生命之泉，也是埃及文明沿承发展的神经，所以虽然它污染严重，埃及人仍像神一样敬重着它。

但是对万里迢迢赶来的我们，污秽的尼罗河仍然令我们感到痛心，它不再是流经沙漠的碧澄之水，而与沙漠同色，甚至比沙漠更幽暗了。站在桥上，看两边的尼罗河，真难以想像，它在百年、千年，甚至万年以前是什么颜

色，它像一支长针刺破了我们远方的梦想。想想四千万人口的埃及，有一千四百多万聚集在开罗，似乎也就没有希望能干净了。

我不愿相信在开罗所见的是真正的尼罗河。

幸好，我们的行程开始往南方移动，先是离开开罗到基沙②，看到一大片玉米田和橄榄树如何接受了尼罗河的灌溉，长出累累的果实，然后到了埃及最古老的都城孟菲斯。这里离开罗已远，大麦茂盛地生长，沿尼罗河岸还有墨绿色的西瓜田，已经是农业地区了；妇人们缓缓滑下河岸斜坡，从河边汲水到陶罐子里，顶起在头上，轻步走过市街；驴子转动水车，把河水打进田里，小孩光着身子成群跳进河中戏水，河岸水浅处也能见到翠绿的水草了。

尼罗河是世界上唯一北流出海的河流，我们往南方行走正是溯河而上，慢慢逆寻它清澈的流迹。从开罗搭埃及航空公司飞往路克索和帝王谷的空中，我特别留心观察这世界最长的一条河流。俯瞰的尼罗河如一条蓝色的襟带，从无边的沙漠穿越而过，埃及的空中无云，飞机越高飞，越能感受到尼罗河的绵延无尽，仿佛能看到公元前三千年在尼罗河航行的船只，正运着巨大无比的石块，要向北去建造法老王的金字塔。

真正体会尼罗河之美是在路克索的黄昏。在这个只有七万人口的小城，依靠过活的方式是农业和观光，还有极少数人从事尼罗河的渔捞，及小交易的商业，所以尼罗河几乎是未被污染的。它两岸的植物也都长得格外青葱，草地是不用说了，满树繁红的凤凰花，白色与粉红色的夹竹桃，高大如塔的樟树，擎天而举的槟榔……在路克索的三天，天天有说不出的惊喜，因为想像不到的植物竟都在这里看到。第二天发现了扁柏、武竹、天人菊、向日葵、芦荟、九重葛、变叶木、木麻黄，就像是走在台湾乡间的小镇，第三天看到了一片稻米田、一片棉花田，还看到令人不敢相信埃及会有的莲花。尼罗河的富庶不必再看河水了，只看植物生长的情况就能深切知道。

……听说乘坐游轮，从开罗一路往上游，到亚斯文时几乎能看遍埃及古迹③。我们无缘搭乘，只好搭阿尔及利亚航空公司飞机沿河而下，一路到亚斯文——这个以世界第一大拦水坝闻名于世的地方。

我们居住在亚斯文的象岛上，听说岛上以前产象群，不知何时已绝种了。全岛只盖一家“奥

比罗饭店”，四周则是饭店的庭院和草坪，尼罗河到此分叉，象岛是最富庶的一块绿洲。“奥比罗饭店”有自备的轮船作为与对岸亚斯文大城的交通工具，还有帆船供人乘坐，住在象岛绿洲才更深刻感觉尼罗河的魅力。河水像两只温柔的手臂环抱着小岛，四周全是澄明呈碧绿色的尼罗河水，由于有绿洲，河水流速更缓，仿佛大湖。远望尼罗河的来势，真是河水滔滔，有无穷之相；亚斯文的尼罗河又比路克索要美，因为它更巨大、更清洁、鱼产也更丰。

要说亚斯文的尼罗河段鱼产丰富，不必看那两人一组的舟子在河面上撒网捕鱼，光看河岸边的白色水鸟就能知悉。水鸟群聚在沙洲上密密麻麻竟是没有丝毫空隙，轮船驶过则全数飞起，啉啉相应，那时每一只水鸟是一个音符响起，千万个音符随风响起，尤其是清晨和黄昏，水鸟就跟随着轮船驶过的波动水涟，寻找着浮出水面的游鱼，满天翱翔的水鸟，景观甚是壮丽。舟子说，尼罗河流过肯尼亚、乌干达、伊索匹亚、苏丹、埃及，而亚斯文这一段算是最美的。我们问他为何知悉，他说从出生就长在尼罗河畔也曾溯河驶船而上，几乎看遍一条尼罗河，也曾顺流到过开罗，并且同意开罗那一段是尼罗河最糟的一段。

……到亚斯文，不能不去世界最大的水坝——亚斯文水坝，也是世界最大的人工湖，长五百公里，宽三十公里，水深一百二十米，在视觉里就像一弯青色的海洋，从这湖中捞起的尼罗河鱼，每天就有五十吨，湖边有十二座发电厂，全埃及的电全是这里供应，甚至还能外销。

这巨大无朋的水坝，始建于1902年，1912年、1913年扩建两次，历时三十年才完成，千余人在建坝时死亡，有十六个神庙迁走，三万五千人离开故居，这些数目都一再印证亚斯文水坝在沙漠地带建起的艰辛。水坝刚建成的时候，埃及人都陷入狂欢状态，因为它使尼罗河不再泛滥，增加耕种面积，达埃及原有的三分之一，发电、灌溉、鱼产都足以供应全国。

经过五十年，埃及人的狂欢冷却了，并且开始真正体会到亚斯文水坝的严重缺点，最大的一项是它整个改变了尼罗河的生态锁链，断丧了许多沿岸生活的动植物生机。其次，原来每年六月到九月尼罗河泛滥，为两岸农田带来肥沃的泥土，使作物不必用肥料就能生长，现在肥沃的泥土全在水坝沉积，农田失去沃土，政府不得不投下无以数计的资金向国外购买肥料。其三，由于河水被拦住，下游河水水位降低，每年河水向南倒灌，造成稻田、棉田两大生产的无数损失。

最后，亚斯文水坝的效益正在减少，每年沉积泥土七十五厘米，十年七点五米，水深每年涨高三米，水坝又无法清理，它的寿命日渐短促，使得一般

有远见的埃及人忧心忡忡；而且它将来可能是尼罗河的癌症，毫无解救的办法。

我们站在高处，瞭望这一片广大靛明的湖水，真不敢相信湖底下竟有那么深的隐忧，正在随湖水日日上升；一般埃及人当然不能知悉这些，唯一知道的是，古文明的埃及已随河水流去了岁月，现在机械文明的脚步则一步步踩在文明之上从河水上走来。将来会如何，是谁也不能预测的！亚斯文水坝附近有一个理工学院，建在亚斯文沙漠与撒哈拉大沙漠的交界处，许多埃及大学生埋首研究水坝的问题，他们在寸草难生的沙漠地上，研究着世界上最大的湖水的将来，说起来也是数千年来生育埃及文明的尼罗河，一个极大的讽刺。

……

河水对这些全然无言，它只是顺河道前行，往地中海直奔。人所种的因，要由人自己去付出代价。尼罗河从开天辟地起就不会改变它的流量与河道，它的美丑是由人来决定的，这样想时，就越发觉得尼罗河的宽大与无限。亚斯文水坝看起来是够壮观了，但是，比起一整条河又算得了什么呢？……

[注 释]

①林清玄(1953—)，台湾著名散文作家，作品清新流畅，于平易中见深刻。②基沙：又译“吉萨”，埃及城市。③亚斯文：又译“阿斯旺”。

[赏 析]

尼罗河是世界第一长河，它是辉煌的埃及文明的摇篮。全世界都对尼罗河充满向往。

作者以自己的亲眼观察，发现这条孕育了埃及文明的世界级河流在今天依然是埃及人民的生命之泉，虽然目前污染严重，但埃及

人民仍像对待神一样，对它满怀崇敬和感恩。

作者对于尼罗河的污染表示遗憾和担忧，对于保持良好生态的河段表达了赞美。文中特别写到了尼罗河上著名的阿斯旺大坝，表达了对现代科技建造的水利工程利弊的思考。阿斯旺大坝的建成，造成了世界上最大的人工湖，发电、灌溉、渔产，给埃及带来了收益。但是当年令埃及人欢呼振奋的阿斯旺大坝，多年后渐渐显露出隐患：改变了尼罗河的生态链，断了沿岸许多动植物的生机；原来河水中的泥土冲积而成平原沃土，现在都沉积在水库底部并逐年增高。本文的题目，也许是一个隐喻，“星”是指科技手段？还是指悠久的埃及文明？读者可以有自己的理解，也可以提出不同的观点。

作家不是水利专家，他所说的数据以及对阿斯旺大坝的认识也许与水利专家的眼光不一致，而且他也没有提出有效的对策。不过，作家从人文角度的思考，为人们提供了一个辨证认识水利工程的视角，具有一定的启发意义。恩格斯在《自然辩证法》中说过：“我们不要过分陶醉于我们对自然界的胜利。对于每一次这样的胜利，自然界都报复了我们。每一次胜利，在第一步都确实取得了我们预期的结果，但是在第二步和第三步却有了完全不同的、出乎预料的影响，常常把第一个结果又取消了。”尼罗河上建阿斯旺大坝是不是属于这种情况，水利专家会有更准确的评价。即使阿斯旺大坝造成了一些弊端，也不能因噎废食，停止大坝的建造。恩格斯的观点和本文中的描写，可以启发人们在研究和规划水利工程时考虑得更周详、更长远，尽可能避免弊端，并深入思考“人与河流和谐相处”这个全球性的大命题。

贰

智慧之水

17. 邶风·泉水[①]

毖彼泉水[②]，亦流于淇[③]。有怀于卫，靡日不思。娈彼诸姬[④]，聊与之谋[⑤]。出宿于泲[⑥]，饮饯于祢[⑦]。女子有行[⑧]，远父母兄弟。问我诸姑，遂及伯姊。出宿于干，饮饯于言[⑨]。载脂载辖[⑩]，还车言迈[⑪]。遄臻于卫[⑫]，不瑕有害[⑬]？我思肥泉，兹之永叹。思须与漕[⑭]，我心悠悠。驾言出游，以写我忧[⑮]。

［注 释］

①泉水：即今河南辉县的百泉。本文选自《诗经》，为中国最早的一部诗歌总集，成于春秋时期，共收录西周初年到春秋中叶大约五百多年间的诗歌305首，原称《诗》或《诗三百》。②毖（bì）：泉水涌流。③淇：淇水，在卫国境内。④娈（luán）：美好的样子。诸姬：指一起嫁来的姬姓之女。⑤聊：姑且。⑥泲（zǐ）：地名。⑦祢（mǐ）：地名。⑧行：指嫁。此章当为回忆，是"聊与之谋"的内容之一。⑨干、言：邶之地名。⑩载：则。脂：涂车轴的油脂。辖：车轴两头金属键。⑪还：通"旋"，回转。言：即焉，乃、就。迈：远。⑫遄（chuán）：疾速。臻：至。⑬瑕：通"胡"，什么。此处当为想像，是"聊与之谋"的内容之二。⑭肥泉、须、漕：都是卫国的城邑。⑮言：即焉，乃、就。写：即"泻"，宣泄。这是"聊与之谋"的结果。

［赏 析］

本诗主旨是远嫁他乡的卫国女子表达思念家乡的情感。诗从家乡的泉

水着笔，泉水自西北而东南，汩汩涌出，流向卫国的淇河。这里运用的是比兴的手法，正如宋代大儒朱熹所说的那样："言毖然之泉水亦流于淇矣，我之有怀于卫，则亦无日而不思矣。"用意在以家乡的泉水来寄托对故国的思念之情。卫国的女子，远嫁为诸侯夫人，所谓"侯门一入深似海"。按照古代的风俗，父母健在，出嫁妇女才可以回娘家省亲，否则不得回娘家。《毛序》注："《泉水》，卫女思归也。嫁于诸侯，父母终，思归宁而不得，故作是诗以自见也。"卫女的父母已经不在人世，故不得返乡。远在异乡，寂寞思乡之情难以平复。女子与自己的好友一起回忆出嫁时的情形，想像一起归家的场景，并在想像中陶然而醉。以想像与现实对比，眼前真实的孤独状况更显凄凉。诗歌本意是写思乡之情，泉水为寄托之物，但抒情主人公悠悠绵长的思念，与家乡汩汩清泉，已经融为一体了。无形的情感借有形的水而显现得更为鲜明，使人在读诗时深深体会到了卫国女子的似水柔情。

18. 老子[①]论水

上善若水②。水善利万物而不争，处众人之所恶③，故几于道④。居善地⑤，心善渊⑥，与善仁⑦，言善信⑧，正善治⑨，事善能⑩，动善时⑪。夫唯不争，故无尤⑫。（第八章）

江海之所以能为百谷王者⑬，以其善下之，故能为百谷王。是以圣人欲上民⑭，必以言下之；欲先民，必以身后之。是以圣人处上而民不重⑮，处前而民不害。是以天下乐推而不厌。以其不争，故天下莫能与之争。（第六十六章）

天下莫柔弱于水，而攻坚强者莫之能胜，以其无以易之⑯。弱之胜强，柔之胜刚，天下莫不知，莫能行。是以圣人云："受国之垢⑰，是谓社稷主；受国不祥，是为天下王。"正言若反。（第七十八章）

［注 释］

①老子姓李，名耳，字伯阳，又称老聃，春秋末楚国苦县厉乡曲仁里人，约生于公元前570年，相传寿命很长。曾为周朝史官，后隐居，为道家学派创始人。本文节选自《老子》。②上善：上等的善行，最高的美德。这里指上善之人，具有上等善行的人。③"处众人"句：谓众人皆恶低下之处，而水独静流居之。④几（jī）：接近。⑤地：选择低下的地方。⑥渊：深，形容内心深沉的样子，以水深喻之。⑦与善仁：万物得水而生，喻待人善于坚持仁爱之心。与：与人交往。⑧言善信：水照影而不变其形，喻言语善于讲求信用。⑨正善治：水能洗净一切不洁之物，喻从政善于治国。正：通"政"。⑩事善能：水能方能圆曲直随形，喻临事善于发挥才能。⑪动善时：水夏散冬凝，应期而动，不失天时，喻行动善于顺应时势。⑫尤：过失。⑬以下三句以"江海"、"百谷"设喻，说明居下可以兼容广纳。《三十二章》中有："譬道之在天下，犹川谷之于江海。"⑭上：与以下三句中的"下"、"先"、"后"，都用作动词。"圣

人”二字，王弼本无，据帛书甲、乙本等古本补。⑮重：受到重压，觉得沉重。⑯易：替代。⑰垢：耻辱。

[赏析]

老子是道家学派的创始人。《老子》又名《道德经》，虽只有五千余字，但涉及的内容相当广泛，对中国文化影响极为深远。本篇所选《老子》中的三则，都以水设喻，根据水的特性，来说明“善下”、“不争”、以弱胜强等道理。第一则是老子的人生论，以水喻处世之道，认为至善之人，应该具备如水一般的美德：滋养万物而不与之争利，默默处在众人不愿在的卑下之所，唯有这样的与众不同，才会更加接近造化万物的“道”。水性自然，水的“七善”都是自然天成之本性。“上善若水”告诉我们，要像水那样宁静、奉献、自然、平和，进而利他、尊物。这种平静，是一种在中国人心上飘荡了几千年的天籁之音，一直庇护着我们的心灵。第二则以江海作比，以喻王者之道。江海之所以博大，是因为处在溪流下方，形成容纳百川之势。这就启示人们：统治者要善于谦下，才能居上，只有把自己的利益放在百姓之后，才能受到百姓的拥戴。第三则也是以水喻王者之道。水是最柔弱的，却又是最坚强的，因为水能战胜任何刚强的东西，以此说明以柔克刚，以退为进，“无为”而“无不为”的道理。统治者肯居下，能受垢，才能有国，有天下。

《老子》文字简约质朴，含义深远，说理多用比喻的手法，以浅显的自然之理说明深奥的社会道理。这三则，都是先把喻体（水）的自然特征稍作阐释，然后引申出社会道理和哲理。多使用排比句、对偶句，骈散结合，长短句交错，文章错落有致，读来琅琅上口。

19. 孔子论水[1]

子曰："知者乐水[2]，仁者乐山。知者动，仁者静。知者乐，仁者寿。"（《论语·雍也》）

子在川上曰："逝者如斯夫[3]！不舍昼夜[4]。"（《论语·子罕》）

［注释］

①选自《论语》。《论语》是记载孔子及其弟子言行的一部语录体著作，由孔子弟子及再传弟子记录编纂而成。②知者：聪明人。知，通"智"。③逝者：消失的（时光）。斯：这。夫：语气词。④舍：居住，停留。

［赏 析］

这两则语录记载孔子对水抒发的感叹，在《论语》中很有特色。第一则中，孔子咏叹的“水”，是一般意义上的水，不分具体的处所、形态、流量大小。水，本来是自然事物，但是在孔子的感受中，这种自然事物具有生命的某些特征。流动的水与某种类型的人（“知者”）相似，流动蕴涵着灵气、智慧，显示着快乐，因此，“知者”与“水”之间有着天然的亲和性。第二则也是就水的流动性而发的感慨，但取其另一方面的含义：汤汤流水与逝去的时间一样都是不可停留，更不可逆转的。这样的感受就具有了哲学的、美学的意味，也有了催人上进的励志价值。在孔子的感受中，物质的“水”具有了哲学、美学的含义，成为人类生命、人生历史的某种象征。《论语》中这几句简短的话，在后代派生出了许多由“水”而生的历史、人生的体会，具有重要的经典意义。

20. 孟子论水(两则)

徐子曰①:"仲尼亟称于水②,曰'水哉,水哉!'何取于水也?"孟子曰:"源泉混混③,不舍昼夜,盈科而后进④,放乎四海。有本者如是,是之取尔⑤。苟为无本,七八月之间雨集,沟浍皆盈⑥,其涸也,可立而待也。故声闻过情,君子耻之。"(《孟子·离娄下》)

告子曰:"性犹湍水也⑦,决诸东方则东流,决诸西方则西流。人性之无分于善不善也,犹水之无分于东西也。"孟子曰:"水信无分于东西⑧,无分于上下乎?人性之善也,犹水之就下也。人无有不善,水无有不下。今夫水,搏而跃之⑨,可使过颡⑩;激而行之,可使在山⑪。是岂水之性哉?其势则然也。人之可使为不善,其性亦犹是也。"(《孟子·告子上》)

[注 释]

①徐子:名徐辟,孟子的弟子。②仲尼:孔子的字。亟(qì):屡次,多次。③混混:"混",俗字作"滚"。源泉混混,形容水流丰盛。④科:坎,洼地。⑤是之取尔:宾语前置,即"取是尔","之"在这里为结构助词。"尔"同"耳"。⑥沟浍(kuài):田间水沟。⑦湍(tuān)水:激流。⑧信:诚然。⑨搏:拍打。跃:跳跃。⑩颡(sǎng):额。⑪此句意为,阻挡水使它倒流,可以引上高山。

[赏 析]

这里选录的是《孟子》中论水的两则文字。在第一则中,孟子解释了孔子屡次称赞水的原因,由此阐明了一个根本道理:一切事物都要有本有源,才能避免枯竭,才能活力充沛、生生不息、通达四海。孟子的论述其实把握住了水的本质特征,因为水是流动的,如果没有本源,则其生命力就得不到支撑,必然会萎缩;有了本源,其生命流程则可永葆青春。宋代大儒朱熹的

诗句“问渠那得清如许，为有源头活水来”，意思与此一致。一切能够获得长足发展的事物都应该像有源之水那样；反之，如果像七八月之间的雨水，虽然暂时沟壑充盈，但其生命之消亡往往很快就会到来。在这则文字的最后，孟子举了个具体的例子，从论水转为论人，认为有的人虚名超过实情，缺乏本源的支撑，于是如同七八月间骤然聚集的雨水，虽然暂时名声很大，终归会化作泡影。这些论述能带给我们许多思想上的启示。

在第二则中，告子以湍水为喻，认为人性好像湍急的流水，如有外部力量的压制或引导，就会改变其外在表现，正如水流，决诸东方则东流，决诸西方则西流。人性也没有善与不善的区别，正如水无东西的区别一样。众所周知，孟子是主张“性善论”的，针对告子的观点，孟子同样以水作比，非常有效地对其进行批驳。因为告子所说的水“决诸东方则东流，决诸西方则西流”，其实只是水的外在表现而已，并没有抓住水的本质。水的本质是避高趋下，因此，水确实“无分于东西”，却不至于“无分于上下”。人性本善，如水总是从高往下流一样，顺从人的本性即为善，违背人的本性即为不善，正如对水“搏而跃之”、“激而行之”，违背水的本性而使水流出现异常一样。由于孟子扣住了水的本质，他对告子的批驳是非常有说服力的。

21. 秋水[①]（节选）

秋水时至[②]，百川灌河[③]，泾流之大[④]，两涘渚崖之间[⑤]，不辩牛马[⑥]。于是焉河伯欣然自喜[⑦]，以天下之美为尽在己[⑧]。顺流而东行，至于北海，东面而视，不见水端[⑨]。于是焉河伯始旋其面目[⑩]，望洋向若而叹曰[⑪]："野语有之曰[⑫]：'闻道百以为莫己若者[⑬]'，我之谓也。且夫我尝闻少仲尼之闻而轻伯夷之义者[⑭]，始吾弗信；今我睹子之难穷也[⑮]，吾非至于子之门则殆矣[⑯]，吾长见笑于大方之家[⑰]。"

北海若曰："井蛙不可以语于海者[⑱]，拘于虚也[⑲]；夏虫不可以语于冰者，笃于时也[⑳]；曲士不可以语于道者[㉑]，束于教也。今尔出于崖涘，观于大海，乃知尔丑[㉒]，尔将可与语大理矣。天下之水，莫大于海，万川归之，不知何时止而不盈；尾闾泄之[㉓]，不知何时已而不虚；春秋不变，水旱不知。此其过江河之流，不可为量数。而吾未尝以此自多者[㉔]，自以比形于天地而受气于阴阳[㉕]，吾在于天地之间，犹小石小木之在大山也。方存乎见少，又奚以自多！计四海之在天地之间也，不似礨空之在大泽乎[㉖]？计中国之在海内[㉗]，不似稊米之在大仓乎[㉘]？号物之数谓之万[㉙]，人处一焉；人卒九州[㉚]，谷食之所在，舟车之所通，人处一焉[㉛]；此其比万物也，不似豪末之在于马体乎？五帝之所连[㉜]，三王之所争，仁人之所忧，任士之所劳[㉝]，尽此矣。伯夷辞之以为名，仲尼语之以为博，此其自多也，不似尔向之自多于水乎？"

[注 释]

①本文选自《庄子》的《秋水》篇。原文由七部分组成，此处节选的是第一部分。《庄子》是庄子及其门人、后学所编撰的著作。庄子（约前 369—前 286），名周，战国时宋国蒙（一说是今河南省商丘县东北，另一说是今安徽蒙城县）人，是继老子之后道家学派的主要代表人物。②时：按季节。③灌河：注入黄河。④泾流：畅通无阻的水流。⑤涘（sì）：岸。渚：水中的小块陆地。

⑥辩：通“辨”。⑦河伯：黄河的水神，相传姓冯（píng），名夷。⑧美：美景。⑨端：尽头。⑩旋：改变。⑪望洋：水日相映，不分明也。若：海神名。⑫野语：俗语。⑬莫己若：没有人比得上我。⑭少：以……为少。闻：见闻，学识。轻：以……为轻。⑮穷：尽，看不到尽头。⑯殆：危险。⑰长：长久；大方之家：懂得大道理的人。⑱井蛙：井底之蛙，谓目光狭隘短浅。⑲拘于虚：受居住处所的局限。虚：住所。⑳笃于时：受季节的限制。㉑曲士：乡曲之士，见识浅陋之人。㉒丑：鄙陋。㉓尾闾：传说中排放海水的地方。㉔多：夸耀。㉕比形：托身。㉖礨（léi）空：蚁穴，小洞穴。㉗中国：中原地区。㉘稊（tí）米：小米。稊，草似稗而米甚细少。㉙号物之数谓之万：称物的数量叫“万”。㉚人：人类。卒：遍布。㉛人处一焉：个人只是人类中的一员。㉜连：续，指禅让。㉝任士：能担当重任的贤人。劳：忧劳。

［赏 析］

本文一开篇，直接入题，描写河水满涨的浩大景象、河伯沾沾自喜之情，继而展现北海的浩瀚，突出河伯望洋兴叹，自识其丑。庄子将河与海进行对比，其实是有限与无限的精妙对比。接下来写北海若以自然之广大、宇宙之无穷开导河伯，说明人的认识要受到客观条件的限制，大海虽然浩瀚无际，但与天地、阴阳相比，也微不足道，阐发世间万物的大小都是相对而言的道理，并对伯夷、仲尼的“自多”进行嘲笑。

《庄子·秋水》沿着从“河”到“海”到“天地”，最后一直到“道”的思路，将我们一步步引入一个越来越广阔、越来越美妙的境界之中。庄子所要表达的，是相对主义的认识论思想，他认为认识的对象的性质是相对的，无论是大小、多少、长短、有无，还是贵贱、得失、生死，都是相对的，因而也是无法认识的。但其中关于宇宙无限、认识无止境的观点，却具有积极意义。现代科学所认知到的东西和茫茫的宇宙相比，也只是沧海一粟而已，我们对宇宙的认识，也只能是管窥蠡测。

本文结构十分严谨，作者采用了由个别到一般、由具体到抽象的层层推进、生发无穷的论说方法，使论述具有水到渠成之势。庄子散文具有鲜明的浪漫主义色彩，雄奇奔放、绚丽多姿。本文以寓言形式，假托河伯与若这两个虚构人物的对话，展开说理，寓理于意境描绘中，将抽象的哲理寄寓在形象的描绘之中，借助具体可感的景物人事，来表达深微玄奥的哲学道理。

22. 孔子观于吕梁[①]

孔子观于吕梁，悬水三十仞②，流沫三十里，鼋鼍鱼鳖之所不能游也③，见一丈夫游之④。以为有苦而欲死者也，使弟子并流而承之⑤。数百步而出，被发行歌，而游于棠行⑥。孔子从而问之曰："吕梁悬水三十仞，流沫三十里，鼋鼍鱼鳖之所不能游，向吾见子道之⑦，以为有苦而欲死者也，使弟子并流将承子。子出而被发行歌，吾以为鬼也。察子，则人也。请问蹈水有道乎⑧？"曰："亡，吾无道。吾始乎故⑨，长乎性⑩，成乎命⑪，与齐俱入⑫，与汩偕出⑬。从水之道而不为私焉⑭，此吾所以道之也⑮。"孔子曰："何谓始乎故，长乎性，成乎命也？"曰："吾生于陵而安于陵⑯，故也；长于水而安于水，性也；不知吾所以然而然⑰，命也。"

[注 释]

①本文节选自《列子·黄帝篇》，《列子》相传是战国时道家列子所著。题目为编者所加。吕梁：即吕梁洪，黄河流经山西吕梁山的一道瀑布。②悬水：即瀑布。③鼋（yuán）：鼋鱼，即鳖。鼍（tuó）：鳄鱼。④丈夫：古时用于称呼成年男子。⑤并（bàng）流：挨着河流。并，通"傍"，挨着。承（zhěng）：通"拯"，救。⑥棠行：当作"塘下"。⑦向：刚才。道：当作"蹈"，踩水。⑧道：诀窍，规律。⑨始乎故：指游水的技能开始于人天生的素质。故，原指故旧，故常，这里指自然生成的素质。⑩长乎性：指游水的技能随自身的本性而发展。性：指人的自然本质和属性。⑪成乎命：听任自然之理而成功。命：这里指的是自然界的某种必然性。⑫齐：同"脐"，喻漩涡。⑬汩（gǔ）：疾涌而出的水流。⑭私：指个人的好恶。⑮道：当作"蹈"。⑯陵：丘陵，这里指陆

地。⑰所以然而然：指蹈水全凭自然以达到神妙的境地。

［赏 析］

水除了给予人类以饮用、洗涤、灌溉、舟楫等物质的恩惠外，还以独特的性格、多姿的形态，给了人们认识世界、认识人生的启迪，并引发了诸多先哲有关水的哲理思考。这则寓言所讲的故事，就带有道家的朴素的唯物主义和朴素的辩证法思想。

作品先描写吕梁瀑布“悬水三十仞，流沫三十里”的壮观场景和气势，接着用简洁的文字叙述孔子发现有人处于“鼋鼍鱼鳖之所不能游”的险恶境地而欲施救，再勾画出一个勇敢无畏、从容出入瀑流的蹈水者形象，以此为背景，展开一问一答的人物对话以解惑释疑。被孔子疑为“鬼”的“丈夫”，之所以搏风险击悬流如履平地，是因为他“生于水而安于水”，出入漩涡波涛，掌握水的自然之性并适应水的自然规律。作者用寓言说明哲理，精心虚构人物对话，在表现道家“顺应自然”的思想的同时，也表现了人物的个性特点：孔子的“以为有苦而欲死者也，使弟子并流将承子”的言行举动，表现了仁者“爱人”的本性；游水者的“被发行歌，而游于棠行”显示其率性洒脱的性格，而“亡，吾无道”、“不知吾所以然而然”的语气符合一个乡僻野人的身份，但蕴含着特有的哲理。

23. 荀子论水[①]

孔子观于东流之水，子贡问于孔子曰："君子之所以见大水必观焉者，是何？"孔子曰："夫水，大遍与诸生而无为也[②]，似德。其流也卑下，倨勾必循其理[③]，似义。其洸洸乎不淈尽[④]，似道。若有决行之[⑤]，其应佚若声响[⑥]，其赴百仞之谷不惧，似勇。主量必平[⑦]，似法。盈不求概[⑧]，似正。绰约微达[⑨]，似察。以出以入[⑩]，以就鲜洁[⑪]，似善化[⑫]。其万折也必东[⑬]，似志。是故君子见大水必观焉。"

[注 释]

①本文选自《荀子·宥坐》。②此句意为：广泛给予万物，却不认为自己有功。③倨勾必循其理：或直或弯总是遵循一定的规律。倨：曲折。勾：弯曲。④洸洸(guāng)：水流汹涌的样子。淈(gǔ)尽：竭尽。⑤决行：掘开堤岸，使水流通。⑥应：随着。佚：同"逸"，奔腾。若声响：像回音应声一样。⑦量：用水作标准来衡量。⑧盈：满。概：古代用斗、升等量器量东西时，用来刮平量器的小木条(像尺子一样)。⑨绰约微达：虽然柔弱，但很细微的地方都可以到达。⑩以出以入：指水的流过。⑪以就鲜洁：(万物从水里出来)就成为新鲜而光洁的。⑫善化：善于教化。⑬万折：很多周折。

[赏 析]

这段广为人知的论水佳话，不载于《论语》。《荀子》之后，这段话也见于汉代刘向的《说苑·杂言》，以及三国时人王肃编的《孔子家语》(词句略有不同)，它们的成书年代都晚于《荀子》。《荀子》中出现这段话是最早的，因此可以理解为荀子假托孔子之名而发的论水之言。

中国文学(文化)中,关于水的比喻有两种情况:一种是以他物喻水(如“春来江水绿如蓝”、“欲把西湖比西子”),另一种是以水喻他物。《荀子》中的这段话属于后一种。但不同的是,它不是把水与单一的某个事物对应起来构成比喻,而是发散地用水来比喻多种事物,这实际是对于水的描写的拓展和深化,有助于认识水所包含着的丰富的哲学、美学含义。荀子从不同角度出发,把水的不同方面的自然特征(润泽万物、水流趋下、浩荡无尽等)与人类的美好品格一一联系起来。这样,没有任何思想意志的自然物——水,就人格化了,一身而具备了“德”、“义”、“道”、“勇”、“法”、“正”、“察”、“善化”、“志”等多种美好品格,这些比喻具有耐人寻味的多重含义。佛家有“一水四见”之说,意为身份、立场不同,对水的观照结果也就不一样。《荀子》中这段话内含的观照角度比“四见”更为丰富,是其最突出的特点,也是它广为传诵的重要原因。

在古人看来,这种圣人化的理想人格,是做人应当追求的高境界。在中国文化传统中,以水比德成为最常见的自然美观念。

24.“兵圣”以水喻兵[①]（节选）

夫兵形象水[②]，水之行，避高而趋下；兵之形，避实而击虚。水因地而制流[③]，兵因敌而制胜。故兵无常势[④]，水无常形[⑤]，能因敌变化而取胜者，谓之神。

［注 释］

①本篇节选自《孙子兵法·虚实篇》。《孙子兵法》为春秋时代齐国人孙武所著，被公认为世界第一兵书。孙武被后人誉为“兵圣”。②兵形：用兵之法。③制：制约，决定。④常势：一成不变的态势。⑤常形：一成不变的形态。

［赏 析］

《孙子兵法·虚实篇》的主旨是论述在军事上如何理解虚实、转化虚实、运用虚实，从而夺取战争主动权的一般规律。战争是一般人不太熟悉的，而水是人们日常生活中最熟悉的事物。为了阐明战争的规律，孙子便以水为喻。在孙子看来，“兵形”与水有着本质上的相似。这种本质上的相似又从两个层次加以展开。首先，水的本性是避高趋下，而兵之形是避实击虚。虚实是相对而言的，一般来说，强者为实，弱者为

虚；坚者为实，空者为虚；有者为实，无者为虚；兵力集中者为实，兵力分散者为虚……如此种种，均与水势之高低相似。其次，水的流动性决定了它是“因地而制流”的。从某种程度上说，水的本质特征便是其不确定性。用兵之法也与之相似，要“因敌而制胜”。水的“不确定性”用在兵法里即是一种灵活性，即在作战过程中不僵化、不保守、不呆板、不教条，能够根据敌情之变化，不断调整自己的兵力部署，改变作战方式，这样才能使自己始终拥有主动权。

25. 水谓至德[1]

天下之物，莫柔弱于水。然而大不可极，深不可测；修极于无穷②，远沦于无涯③；息耗减益④，通于不訾⑤。上天则为雨露⑥，下地则为润泽⑦；万物弗得不生⑧，百事不得不成。大包群生而无好憎⑨，泽及蚑蛲而不求报⑩；富赡天下而不既⑪，德施百姓而不费；行而不可得穷极也⑫，微而不可得把握也⑬。击之无创⑭，刺之不伤，斩之不断，焚之不然⑮；淖溺流遁⑯，错谬相纷而不可靡散⑰。利贯金石⑱，强济天下⑲。动溶无形之域⑳，而翱翔忽区之上㉑，遭回川谷之间㉒，而滔腾大荒之野㉓。有余不足㉔，与天地取与㉕，授万物而无所前后㉖。是故无所私而无所公，靡滥振荡㉗，与天地鸿洞㉘；无所左而无所右，蟠委错紾㉙，与万物始终。是谓至德㉚。夫水所以能成其至德于天下者，以其淖溺润滑也㉛。故老聃之言曰㉜："天下至柔，驰骋天下之至坚。出于无有，入于无间。吾是以知无为之有益。"㉝

[注 释]

①本文选自《淮南子·原道训》，题目为编者所加。《淮南子》亦称《淮南鸿烈》，西汉淮南北王刘向及其门客苏非、李尚、伍被等编著。书中以道家思想为主，糅合了儒、法、阴阳五行等家，一般认为是杂家著作。②修：长。极：达到。③沦：流。④息耗减益：减损增益。⑤通：达。訾(zī)：通"赀"，计量。⑥上天：蒸发到天上。⑦下地：降落到大地。润泽：滋润。这里指滋润万物的水。⑧弗得：得不到。⑨大包群生：水敞开阔大的胸怀拥抱众生。无好憎：没有偏爱私心。⑩泽：恩德。蚑蛲(náo)：小虫。⑪富赡天下而不既：使天下富足而自己没有损耗。赡，富足。既，尽。⑫行而不可得穷极：行踪不

定难以查清。⑬微而不可得把握：细微到难以把握在手中。⑭创：创伤。⑮然：通“燃”。⑯淖溺：消融。流遁：流淌消失。⑰错谬(miù)：错杂。纷：纷扰，混乱。靡散：散灭，消散。⑱利贯金石：水的锋利能穿透金石。⑲强济天下：水的强而有力能浮载舟船在天下航行。⑳动溶：摇动。无形之域：无形的疆域。㉑翱翔忽区之上：翱翔在迷蒙渺茫之境。忽区，忽荒，无形的样子。㉒邅(zhān)回：徘徊。㉓滔腾：激荡腾涌。大荒之野：荒漠原野。㉔有余不足：时多时少。㉕与天地取与：由天地决定。㉖授万物而无所前后：施恩泽于万物而不分远近先后。㉗靡滥：泛滥。㉘与天地鸿洞(tóng)：和天地混同相通。㉙蟠委错紾(zhěn)，盘曲错杂。紾，转。㉚至德：最高的德性(的特征)。㉛淖溺：这里是柔软的意思。㉜老聃：即老子。㉝所引之言见《老子》四十三章，与传世本文字略异。驰骋：这里指控制、战胜。至坚：最刚强的东西。出于无有：在虚无中诞生。入于无间：进入没有缝隙的有形物中。

[赏析]

“上善若水。水利万物而不争，处众人之所恶，故几于道。”(《老子·八章》)自从老子赋予水以道德意义后，不断有人在充实丰富这一内容，水的文化道德意义不断被强化，《淮南子》就是如此。

本文以“水”象征“道”，将老子有关论述具体化、深入化、艺术化，这既是对《老子》之“水”的进一步描绘，也是对《老子》所赋的“水德”的进一步阐述，是一篇名副其实的“水德颂”。作者由“天下之物，莫柔弱于水”启笔，以“然而”作转折，对“水”的浩森无量的博大、润泽万物的无私和形态状况的多变，作拟人化、形象化的描述，再以“利贯金石，强济天下”的论断，将老子的“天下莫柔弱于水，而攻坚强者莫之能胜，以其无以易之”(《老子·七十八章》)的论述加以发挥、深化，

突出了作为道性的化身的“水”的“柔而能刚”、“弱而能强”、浩大无比、无所不能等特点，并进一步将“水”人格化、神圣化，颂扬其达到“至德”的最高层次，最后以《老子》的论断作结。全篇融议论与抒情于一体，逻辑性强，事理兼备。而象征、对偶、比拟、排比、对比等辞格的运用，使得作品铺张华丽，汪洋恣肆，气势宏大，带有骈赋的某些特点。

26.《论衡》驳“兴涛说”[①]

王　充[②]

传书言：吴王夫差杀伍子胥[③]，煮之于镬[④]，乃以鸱夷橐投之于江[⑤]。子胥恚恨[⑥]，驱水为涛，以溺杀人[⑦]。今时会稽丹徒大江[⑧]、钱塘浙江[⑨]，皆立子胥之庙，盖欲慰其恨心，止其猛涛也。夫言吴王杀子胥投之于江，实也；言其恨恚驱水为涛者，虚也。屈原怀恨，自投湘江，湘江不为涛；申徒狄蹈河而死[⑩]，河水不为涛。世人必曰：“屈原、申徒狄不能勇猛，力怒不如子胥。”夫卫菹子路而汉烹彭越[⑪]，子胥勇猛不过子路、彭越。然二士不能发怒于鼎镬之中，以烹汤菹汁渖漎旁人[⑫]。子胥亦自先入镬，后乃入江；在镬中之时，其神安居？岂怯于镬汤，勇於江水哉！何其怒气前后不相副也[⑬]？且投于江中，何江也？有丹徒大江，有钱唐浙江，有吴通陵江[⑭]。或言投于丹徒大江，无涛，欲言投于钱唐浙江。浙江、山阴江[⑮]、上虞江[⑯]皆有涛，三江有涛，岂分橐中之体，散置三江中乎？人若恨恚也，仇雠[⑰]未死，子孙遗在，可也。今吴国已灭，夫差无类[⑱]，吴为会稽，立置太守，子胥之神，复何怨苦，为涛不止，欲何求索？吴、越在时，分会稽郡，越治山阴[⑲]，吴都今吴[⑳]，馀暨以南属越[㉑]，钱唐以北属吴。钱唐之江，两国界也。山阴、上虞在越界中，子胥入吴之江为涛，当自上吴界中，何为入越之地？怨恚吴王、发怒越江，违失道理，无神之验也[㉒]。且夫水难驱，而人易从也。生任筋力，死用精魂。子胥之生，不能从生人营卫其身[㉓]，自令身死，筋力消绝，精魂飞散，安能为涛？使子胥之类数百千人，乘船渡江，不能越水[㉔]。一子胥之身，煮汤镬之中，骨肉糜烂，成为羹菹，何能有害也？周宣王杀其臣杜伯[㉕]，燕简公杀其臣庄子义[㉖]。其后杜伯射宣王，庄子义害简公，事理似然，犹为虚言。今子胥不能完体，为杜伯、子义之事以报吴王，而驱水往来，岂报仇之义、有知之验哉[㉗]？俗语不实，成为丹青[㉘]；丹青之文，贤圣惑焉。夫地之有百川也，犹人之有血脉也。血脉流行，泛扬动静[㉙]，自有节度。百川亦然，其朝夕往来[㉚]，犹人之呼吸气出入也。天地之性，上古有之，《经》曰[㉛]：“江、汉朝宗於海[㉜]。”唐、虞之前也，其发海中之时，漾驰而已[㉝]；入三江之中，殆小浅狭[㉞]，水激沸起，故腾为涛。广陵曲江

有涛㉟，文人赋之㊱。大江浩洋㊲，曲江有涛，竟以隘狭也㊳。吴杀其身，为涛广陵，子胥之神，竟无知也㊴。溪谷之深，流者安洋㊵，浅多沙石，激扬为濑㊶。夫涛濑，一也㊷。谓子胥为涛，谁居溪谷为濑者乎㊸？案涛入三江㊹，岸沸踊㊺，中央无声。必以子胥为涛，子胥之身，聚岸涯也㊻？涛之起也，随月盛衰，小大满损不齐同。如子胥为涛，子胥之怒，以月为节也㊼？三江时风㊽，扬疾之波亦溺杀人㊾，子胥之神，复为风也？秦始皇渡湘水，遭风，问湘山何祠㊿。左右对曰："尧之女，舜之妻也。"始皇太怒[51]，使刑徒三千人，斩湘山之树而履之。夫谓子胥之神为涛，犹谓二女之精为风也[52]。

[注 释]

①本文选自《论衡·书虚篇》，题目为编者所加。②王充(27—约97)，字仲任，会稽上虞人，东汉唯物主义哲学家，著有《论衡》。③夫差(？—前473)：春秋时吴国国君。其父阖闾临终前嘱其报越国杀父辱国之仇，即位后操演军队，以图复仇。次年败越。此后与晋争霸，一度夺得霸主地位，但越国乘虚攻破吴都(今江苏苏州)。公元前473年，越国再次兴兵，终灭吴国，夫差自杀。伍子胥(？—前484)：春秋时吴国大夫。名员，字子胥，楚大夫伍奢次子。伍奢为楚平王所杀，伍子胥投奔吴国，帮助阖闾夺得王位。整军经武，国势日盛。不久攻破楚国，以功封于申，又称申胥。吴王夫差时，劝王拒绝越国求和并停止攻伐齐国，渐被疏远。后吴王赐剑命其自杀。④镬(huò)：古代的大锅。⑤鸱夷橐：皮制的口袋。鸱(chī)夷：皮革做成的口袋，可以盛酒，也可以装人。橐(tuó)：口袋，这里是装的意思。⑥恚(huì)恨：怨恨。⑦溺：淹没在水里。⑧会稽丹徒大江：即长江。会稽：古郡名，汉时辖境相当于今江苏省长江以南、茅山以东，浙江省大部及福建全省。丹徒：在今江苏省镇江市境内。⑨钱塘：旧县名，在今浙江省杭州市境内，西汉时为会稽郡西部都尉治所。浙江：钱塘江旧称，因河道曲折如"之"字，又称之江。⑩申徒狄：殷末人。根据《庄子·盗跖》和《淮南子·说山训》的记载，他因谏纣王没有被采纳，抱石投河而死。⑪菹(zū)：剁成肉酱。子路(前542—前480)：孔子学生，姓仲名由，鲁国人，性直爽勇敢。孔子任鲁国司寇时，他被任为季孙氏的家臣，后任卫国大夫孔悝的家臣，在贵族内讧中被杀。彭越(？—前196)：汉初诸侯王，字仲，昌邑(今山东金乡西北)人。楚汉相争时，将兵三万余归刘邦，屡建战功，封梁王。汉朝建立后，因被告发谋反，为刘邦

所杀。⑫烹：用鼎镬煮人。烹汤：开水。菹汁：肉汤。渖(shěn)潨(cóng)：汤汁溅击、喷溅。⑬副：符合，相称。⑭吴通陵江：汉书地理志："吴县，属会稽郡。""通陵江"未详，或疑为"广陵江"之误。⑮山阴江：即今钱清江。《清一统志》曰："浙江绍兴府钱清江在山阴县西北四十里，上流即浦阳江。"⑯上虞江：今浙江曹娥江的支流。⑰仇雠(chóu)：仇敌。⑱类：种类。这里是后代的意思。⑲治：政府所在地。这里是建都的意思。山阴：在今浙江省绍兴市。⑳都：建都。㉑馀暨：古县名。在今浙江省萧山县西。㉒无神之验：这是伍子胥死后没有神灵的证明。㉓营卫：指人体中的营气、卫气，均为饮食水谷之气所化。营、卫二气散布全身，内外贯通，运行不息，对人体起着滋养和保卫作用。㉔不能越水：不能只身越过江水。㉕周宣王(？—前782)：西周国君。杜伯：周宣王的大夫，无罪被杀。传说杜伯无罪被杀，阴魂出现，射死了周宣王。㉖燕简公：战国时燕国国君，公元前401年—前381年在位。庄子义：燕简公的大夫，被燕简公所杀。传说庄子义被杀后，阴魂不散，用棍子把燕简公打死于车下。㉗有知之验：有知识的证明。㉘丹青：丹和青是中国古代绘画中常用之色，丹青之色不易泯灭，这里指文字记载。㉙泛：浮行。扬：显示。动静：这里是形容脉搏一张一弛。㉚朝夕：即潮汐，早潮与晚潮。㉛《经》：这里指《尚书·禹贡》。㉜江：长江。汉：汉水。朝宗：诸侯朝见天子，春天朝见叫朝，夏天朝见叫宗。这里是比喻长江、汉水涌向大海，或比喻大海涌向长江和汉水。王充在这里采用后一种说法。㉝漾：这里是水面宽阔的意思。驰：延缓、平缓。㉞殆：大概。㉟广陵：古县名，治所在今江苏扬州。曲江：今江苏扬州市南的一段长江，古时因水流曲折得名。㊱赋：汉代形成的一种文体，讲究文采、韵节，兼具诗歌与散文的性质。这里是作赋的意思。㊲浩：水大的样子。洋：舒缓的样子。㊳隘狭：狭窄，狭小。㊴竟无知也：可见他的神灵到底是无知的。㊵洋：舒缓的样子。㊶濑：从沙石上流过的急水。㊷夫涛濑，一也：意思是波涛的形成跟山间急流形成的道理是相同的。㊸"谓子胥为涛"句：意谓伍子胥驱水成为波涛，那么又是谁在溪谷里制造急流呢？㊹案：考察、考据、查究。㊺岸沸踊：江岸被汹涌波涛拍打。㊻"必以"三句：意思是如果一定要认为是伍子胥驱水成为波涛，那么他的尸体就该聚集在岸边。㊼节：周期。㊽风：起风。㊾疾：这里是迅猛的意思。㊿湘山：一名君山，又名洞庭山。在今湖南省岳阳县西洞庭湖中。祠：祭祀。(51)太：同"大"。(52)二女：即娥皇、女英。相传是唐尧的两个女儿，同嫁虞舜为妃。后舜出外巡视，死于苍梧，她们两人赶至南方，也死于江湘之间。精：精

灵、精怪。

［赏 析］

著名的钱塘江潮是因为钱塘江口呈喇叭形，向内逐渐浅狭，潮波传播受约束而形成的天下奇观，以每年农历八月十八日在海宁所见者为最著。而在古代，吴越一带的民间却把这一自然现象与因谏被害的吴国大夫伍子胥联系在一起，认为他死后化为潮神，“朝暮乘潮，以观吴之败”，江潮汹涌，“时见子胥乘素车白马，在潮头之中”。这个传说虽然在一定程度上表达了民众为伍子胥鸣冤申雪的愿望和要求，但毕竟是主观幻想的产物，毫无科学依据。而在王充生活的东汉时期，天人感应之说横行，谶纬之书充斥，笼罩着迷信气氛，民间盛行的立庙祭祀“潮神”、敬畏神灵的风俗，只能助长神仙鬼怪迷信的气焰。所以批驳“潮神说”，也就成为王充著作《论衡》“疾虚妄”、重“效验”的重要内容。

作者先引“传书”关于钱塘江潮出现的论述，作为驳论的“靶子”，然后一针见血地指出子胥投江实有其事，而其衔恨兴涛则属子虚乌有；接着举出同样因谏投水的屈原、申徒狄并未在湘江、黄河兴涛为例加以论证。针对“世人”可能提出的屈申不如子胥勇猛而不能兴涛的辩驳，作者再举勇猛超过子胥的子路、彭越入鼎镬而不能发怒的例子进行反驳，并指出子胥处鼎镬不怒，投江流而怒的悖谬。按“传书”的逻辑，子胥兴涛是要向吴王夫差报仇，而汉时吴国已灭，夫差无后，子胥失去报仇的对象，就没有必要再兴风作浪，而且也没有必要在越国的地盘上逞威。在对“兴涛说”层层批驳的基础上，作者鲜明地提出人死后“筋力消绝，精魂飞散，安能为涛”的中心论点，并用归谬法，将“传书”的观点进行合理的引申，使“兴涛说”陷入荒谬的境地，最终廓清了“兴涛说”的神学迷雾。文章论述透彻而有说服力，以物推理，严谨缜密，字里行间闪烁着朴素唯物主义的光辉和大无畏的斗争精神。英国著名科学史家李约瑟在其所著的《中国科学技术史》中曾引述过这段文字。

27. 黄河

罗隐[1]

莫把阿胶向此倾[2]，　此中天意固难明。
解通银汉应须曲[3]，　才出昆仑便不清[4]。
高祖誓功衣带小[5]，　仙人占斗客槎轻[6]。
三千年后知谁在[7]？　何必劳君报太平！

[注释]

①罗隐(833—909)，晚唐作家。字昭谏，余杭(今属浙江)人。本名横，因十次考进士，未中，改名为隐。诗多讽刺现实之作，好用口语。②阿胶：古人认为用阿胶可以澄清浊水。③黄河有九曲之称，直通天界(银汉)。④昆仑：古人误以为黄河发源于昆仑山。⑤"高祖誓功"句：汉高祖在大封功臣时的誓词里说："使河如带，泰山若砺。"意思是，要到黄河像衣带那么狭窄，泰山像磨刀石那样平坦，你们的爵位才会失去(意即永不失去)。⑥"仙人占斗"句：据说汉代张骞奉命探寻黄河源头，乘一只木筏，溯河而上，到一地，见一女子正在织布，旁边有放牛的男子。后来张骞回到西蜀，以此事请教善于占卜的严君平。君平说，你已经到了天上牛郎织女两星宿的所在了。⑦"三千年后"句：传说黄河千年一清，是圣君时代的大吉大瑞。诗人说，三千年(应是一千年)黄河才澄清一

次，谁还能够等得到呢？

［赏析］

古往今来，写黄河的文学作品不计其数，或写其浩荡千里，气势磅礴；或写其险要曲折，神奇烂漫；或写其源远流长，有灿烂辉煌的文化意味。而罗隐独抒己怀，单单写黄河的浑浊。人道是，黄河千年才会清澈一次，这正是它与众不同的地方，“黄”就是黄河的本性。诗人认识到，黄河在源头（昆仑）便已“不清”，故而就算把用来澄清浊水的阿胶都倾倒进去，也无济于事。当然，作者也不是真要赋咏黄河，而是借事寓意，抨击和讥讽唐代的科举制度。黄河之无法澄清，一如科举考试之虚伪，一如官场之混浊。科举与官场的黑暗，并不是能够轻易解决的，因为根子上已经出了问题，就如黄河水之黄，根源在于其源头。在这样的社会环境中，只有使用“曲”的手段，即不正当的手段，才能入豪门，通朝廷，如同黄河曲曲折折，才可以直通银汉。诗人句句明写黄河，句句暗射封建王朝，比喻得贴切，讽刺得尖刻，这和罗隐十次参加科举考试失败的痛苦经历有着密切的关系。在古代文学中，以水为比喻、作引申，是常用的写作手法。

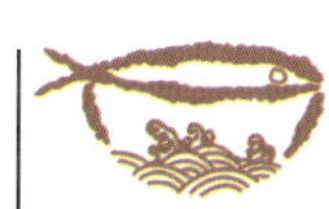

28. 古代画家谈水（节选）

郭　熙①

水，活物也，其形欲深静②，欲柔滑，欲汪洋，欲回环，欲肥腻，欲喷薄，欲激射，欲多泉，欲远流，欲瀑布插天，欲溅扑入地，欲渔钓怡怡，欲草木欣欣，欲挟烟云而秀媚，欲照溪谷而光辉，此水之活体也。

山以水为血脉，以草木为毛发，以烟云为神彩，故山得水而活，得草木而华，得烟云而秀媚。水以山为面，以亭榭为眉目，以渔钓为精神，故水得山而媚，得亭榭而明快，得渔钓而旷落，此山水之布置也。

［注 释］

①郭熙，生卒年不详（生活年代为11世纪中后期），北宋画家，字淳夫，温县（今属河南）人。以山水画闻名，其绘画理论由其子郭思纂集为《林泉高致》，是中国古代山水画论著中卓有见解的著作。全书分为序言、山水训、画意、画诀、画格拾遗、画题六节。本篇的两则选自《林泉高致·山水训》。

②欲：要。本句与以下几句的意思是说，水的外在形态是丰富的，（有的）要表现为深厚平静，（有的）要表现为温顺柔滑，（有的）要表现为汪洋恣肆。

［赏 析］

本篇选的两则画论，是画家谈对水的观察和表现。画家观察自然景物，比普通人更细致，更深入。山水画作为一种艺术创作形式，对自然美的表现要比现实生活更集中，更讲究形神兼备、丰富多彩。中国传统美学中有“画

山水是留影”的说法，意即山水美的特征在于外在形态的美。在科学家看来，水是无色、无味、无形的液体，而在画家眼中，水的“外形”是非常丰富、各具特征的。第一则中，画家从不同角度强调水之“形”的多种可能性：有的深厚平静，有的汪洋恣肆，有的回环婉曲，有的从天而降、溅扑入地……只有观察到了水之“形”的多姿多彩，才可能把水画得生动，不重复，不单调，体现出水的“活体”特征。这里说的是对画家的要求，但对普通人的审美欣赏而言同样具有启发意义，在欣赏水之美时，应当尽量细致观察水的丰富外形，体会其中的不同韵味。第二则谈山水风景互相映衬的美学关系，是对现实生活现象的审美观察，也是画面布置的艺术技巧。山需要水等景物陪衬才能更显出美，水也需要与其他景物恰当配合，才能显出灵活和变化。这一法则，不仅体现在绘画中，在园林建造、景观布置时也常常这样安排。

29. 洪水时代[①]

郭沫若

一

我望着那月下的海波，想到了上古时代的洪水，想到了一个浪漫的奇观，使我的中心如醉。那时节茫茫的大地之上，汇成了一片汪洋；只剩下几朵荒山，好像是海洲一样。那时节，鱼在山腰游戏，树在水中飘摇，孑遗的人类，全都逃避在山椒。

二

我看见，涂山之上，徘徊着两个女郎：一个抱着初生的婴儿，一个扶着抱儿的来往。她们头上的散发，她们身上的白衣，同在月下迷离，同在风中飘举。抱儿的，对着皎皎的月轮，歌唱出清越的高音；月儿在分外扬辉，四山都起了回应。

三

"等待行人呵不归，滔滔洪水呵几时消退？不见净土呵已满十年，不见行人呵已满周岁。儿生在抱呵儿爱号眺，不见行人呵我心寂寞。夜不能寐呵在此徘徊，行人何处呵今宵？——哎，消去吧，洪水呀！归来吧，我的爱人呀！你若不肯早归来，我愿成为那水底的鱼虾！"

四

远远有三人的英雄，乘在只独木舟上，他们是椎髻、裸身，在和激涨的潮流接仗。伯益在舟前撑篙，后稷在舟后摇艄，夏禹手执斧斤，立在舟之中腰。他有时在斫伐林树，他有时在开凿山岩。他们在奋涌着原人的力威，想把地上的狂涛驱回大海！

五

伯益道："好悲切的歌声！那怕是涂山上的夫人？"后稷道："我们摇船去吧，去安慰她耿耿的忧心！"夏禹，只把手的斤斧暂停，笑说道："那只是虚无的幻影！宇宙便是我的住家，我还有甚么个私有的家庭。我手要胼到心，脚要胼到顶，我若不把洪水治平，我怎奈天下的苍生？"……

六

哦，皎皎的月轮，早被稠云遮了。浪漫的幻景，在我眼前闭了。我坐在岸上的舟中，思慕着古代的英雄，他那刚毅的精神，好像是近代的劳工。你伟大的开拓者哟，你永远是人类的夸耀！你未来的开拓者哟，如今是第二次的洪水时代了！

[注 释]

①该诗作于1921年2月8日，选自《星空》。

[赏 析]

东西方民族神话中都有关于洪水的传说，寄寓了人类在童年时期对自然或自身起源的认识。《圣经》中关于挪亚方舟的故事，试图对人类的起源作出解释；而中国古代大禹治水的传说则传达了先民征服自然的雄伟决心。诗人站在海边上，沐浴着宁静的月光，望着海波，却思接千古，回到神话中的洪荒时代：洪水滔滔，淹没大地，汇成一片汪洋，只剩下几座荒山，供人们栖身。这是怎样的灾难啊！但诗歌中并没有流露出凄婉、悲凉的声调——鱼儿在山腰游戏，树木在水中飘摇，白衣女郎在唱着清越的歌曲，绘出了一幅浪漫的景象。洪水并没有什么可怕的，因为有治水的英雄！诗歌无意渲染洪水的灾难，却有意彰显古代英雄刚毅的精神。作者写作此诗的年代，正是五四新文化运动狂飙突进的时期，他们相信一切旧的东西、传统的东西都会被淹没，一切新的、现代的东西都将会被创造。而伟大的民众，如同古代的治水英雄，将开拓出一个全新的世界！这首诗并非实写洪水，而是以雄浑的音调、广阔的画面，上下求索几千年，在古代英雄和近代劳工之间找到精神上的内在联系，寄希望于“未来的开拓者”。正是诗人这种豪迈浪漫的情调，给上古时代的洪水点染出几分雄浑、神秘的色彩。

30. 山中杂记之七

——说几句爱海的孩气的话

冰　心

白发的老医生对我说："可喜你已大好了。城市与你不宜，今夏海滨之行，也是取消了为妙。"

这句话如同平地起了一个焦雷！

学问未必都在书本上。纽约，康桥，芝加哥这些人烟稠密的地方，终身不去也没有什么。只是说不许我到海边去，这却太使我伤心了。

我抬头张目的说："不，你没有阻止我到海边去的意思！"

他笑说："是的，我不愿意你到海边去，太潮湿了，于你新愈的身体没有好处。"

我们争执了半点钟，至终他说："那么你去一个礼拜罢！"他又笑说："其实秋后的湖上，也够你玩的了！"

我爱慰冰，无非也是海的关系。若完全的叫湖光代替了海色，我似乎不大甘心。

可怜，沙穰的六个多月，除了小小的流泉外，连慰冰都看不见！山也是可爱的，但和海比，的确比不起，我有我的理由！

人常常说"海阔天空"。只有在海上的时候，才觉得天空阔远到了尽量处。在山上的时候，走到岩壁中间，有时只见一线天光。即或是到了山顶，而因着天末是山，天与地的界线便起伏不平，不如水平线的齐整。

海是蓝色灰色的。山是黄色绿色的。拿颜色来比，山也比海不过，蓝色灰色含着庄严淡远的意味，黄色绿色却未免浅显小方一些。固然我们常以黄色为至尊，皇帝的龙袍是黄色的，但皇帝称为"天子"，天比皇帝还尊贵，而天却是蓝色的。

海是动的，山是静的；海是活泼的，山是呆板的。昼长人静的时候，天气又热，凝神望着青山，一片黑郁郁的连绵不动，如同病牛一般。而海呢，你看她没有一刻静止！从天边微波粼粼的直卷到岸边，触着崖石，更欣然的溅跃

了起来，开了灿然万朵的银花！

四周是大海，与四周是乱山，两者相较，是如何滋味，看古诗便可知道。比如说海上山上看月出，古诗说："南山塞天地，日月石上生。"细细咀嚼，这两句形容乱山，形容得极好，而光景何等臃肿，崎岖，僵冷？读了不使人生快感。而"海上生明月，天涯共此时"也是月出，光景却何等妩媚，遥远，璀璨！

原也是的，海上没有红、白、紫、黄的野花，没有蓝雀、红襟等等美丽的小鸟。然而野花到秋冬之间，便都萎谢，反予人以凋落的凄凉。海上的朝霞晚霞，天上水里反映到不止红白紫黄这几个颜色。这一片花，却是四时不断的。说到飞鸟，蓝雀、红襟自然也可爱。而海上的沙鸥，白胸翠羽，轻盈的飘浮在浪花之上，"凌波微步，罗袜生尘"。看见蓝雀、红襟，只使我联忆到"山禽自唤名"。而见海鸥，却使我联忆到千古颂赞美人，颂赞到绝顶的句子，是"婉若游龙，翩若惊鸿"！

在海上又使人有透视的能力，这句话天然是真的！你倚阑俯视，你不由自主的要想起这万顷碧琉璃之下，有什么明珠，什么珊瑚，什么龙女，什么鲛纱。在山上呢，很少使人想到山石黄泉以下，有什么金银铜铁。因为海水透明，天然的有引人们思想往深里去的趋向。

简直越说越没有完了，总而言之，统而言之，我以为海比山强得多，说句极端的话，假如我犯了天条，赐我自杀，我也愿投海，不愿坠崖！

争论真有意思！我对于山和海的品评，小朋友们愈和我辩驳愈好。"人心之不同，各如其面"，这样世界上才有个不同和变换。假如世界上的人都是一样的脸，我必不愿见人。假如天下人都是一样的嗜好，穿衣服的颜色式样都是一般的，则世界成了一个大学校，男女老幼都穿一样的制服，想至此不但好笑，而且无味！再一说，如大家都爱海呢，大家都搬到海上去，我又不得清静了！

[赏 析]

冰心的这篇文章依山而说海。"依山"是手段，"说海"是目的。作者抑山而崇海，只是个人的审美趣味，作者并没有期待他人与己相同。"抑山"只是为了在对比中更好地显示出大海的特点，表达对大海的热爱之情。因此，作者在文章副题的位置上特地注明"说几句爱海的孩气的话"。其实，"孩气"意味着天真，意味着更能坦率自如地表达她对大海的认识、对大海出自

生命本性的拥抱。于是,在文章的主体部分,冰心接连陈述了大海的多种优点,诸如海极其宽阔,海的颜色庄严淡远,海没有一刻静止,海的风景千姿百态,海能够让人产生丰富的联想,如此等等,不一而足。经过作家的细致体会,将"海"这一文学形象的审美空间大大拓展了。

还要注意的是,冰心并不是仅仅把海作为自然景物来欣赏,她笔下的海,是生命的象征,青年的象征。生命不正是应该像大海那样吗?胸怀开阔,庄严淡远,充满动感,永远朝气蓬勃、绚丽多彩,对世界充满想像……总之,博大而有活力。冰心在陈述对大海的看法时充满深情,因为她实际上是在倾诉自己对生命、对青年满腔的热爱和眷恋!

就冰心的生命历程来说,父亲是清政府的海军军官,她童年较长时间里一直住在烟台的海边,所以大海已经融进了她的生命中。她在《寄小读者》中还写到:"海好像我的母亲,湖是我的朋友。"在冰心笔下,海有温柔沉静的一面,也有超绝而威严的一面,它是虚怀,也是广博。她感叹中国的诗里咏海的不多,尤其觉得可惜的是中国缺乏"海化"的诗人,于是"希望我们都做个'海化'的青年"。海,在作家心目中象征着一种伟大人格——中华民族的理想人格。

31. 我的写作与水的关系(节选)

沈从文①

我可以说是与文学毫无关系的人，……但在我的工作上，照一般称呼说来既算得是“文学事业”，这事业要来追究一下，解释一下，或对于比我年轻一点的朋友，多少有点用处。我可以说的，是我这个工作的基础，并不建筑在“一本合用的书”或“一堆合用的书”上，因为它实在却只是建筑在“水”上。

在我一个自传里，我曾经提到过水给我种种的印象。檐溜，小小的河流，汪洋万顷的大海，莫不对于我有过极大的帮助。我学会用小小脑子去思索一切，全亏得是水。我对于宇宙认识得深一点，也亏得是水。

“孤独一点，在你缺少一切的时节，你就会发现，原来还有个你自己。”这是一句真话。我有我自己的生活与思想，可以说是皆从孤独得来的。我的教育，也是从孤独中来的。然而这孤独，与水不能分开。

年纪六岁七岁时节，私塾在我看来实在是个最无意思的地方。我不能忍受那个逼窄的天地，无论如何总得想出办法到学校以外的日光下去生活。大六月里与一些同街比邻的坏小子，把书篮用草标各作下了一个记号，搁在本街土地堂的木偶身背后，就洒着手与他们到城外去，钻入高可及身的禾林里，捕捉禾穗上的蚱蜢。虽肩背为烈日所烤炙，也毫不在意。耳朵中只听到各处蚱蜢振翅的声音，全个心思只顾去追逐那种绿色黄色跳跃灵便的小生物。到后看所得来的东西已尽够一顿午餐了，方到河边去洗濯，拾些干草枯枝，用野火来烧烤蚱蜢，把这些东西当饭吃。直到这些小生物完全吃尽后，大家于是脱光了身子，用大石压着衣裤，各自从崖坎高处向河水中跃去。就这样泡在河水里，一直到晚方回家去挨那一顿不可避免的痛打。有时正在绿油油禾田中活动，有时正泡在水里，六月里照例的行雨来了，大的雨点夹着吓人的霹雳同时来到，各人匆匆忙忙逃到路坎旁废碾房下或大树下去躲避，雨落得久一点，一时不能停止，我便一面望着河面的水泡，或树枝上反光的叶片，想起许多事情。所捉的鱼逃了，所有的衣湿了，河面溜走的水蛇，钉固在大腿上的蚂蝗，碾房里的母黄狗，……因为雨，制止了我身体的活动，心

中便把一切看见的经过的全记忆温习起来了。

……

到十五岁以后，我的生活同一条辰河无从分开②。我在那条河流边住下的日子约五年。这一大堆日子中我差不多无日不与河水发生关系。走长路皆得住宿到桥边与渡头，值得回忆的哀乐人事常是湿的。至少我还有十分之一的时间，是在那条河水正流与支流各样船只上消磨的。从汤汤流水上，我明白了多少人事，学会了多少知识，见过了多少世界！我的想像是在这条河水上而扩大的。我把过去生活加以温习，或对未来生活有何安排时，必依赖这一条河水。这条河水有多少次差一点儿把我攫去，又幸亏它的流动，帮助我作着那种横海扬帆的远梦，方使我能够依然好好的在这人世中过着日子！

再过五年，我手中的一支笔，居然已经能够尽我自由运用了，我虽离开了那条河流，我所写的故事，却多数是水边的故事。故事中我所最满意的文章，常用船上水上作为背景。我故事中人物的性格，全为我在水边船上所见到的人物性格。我文字中一点忧郁气氛，便因为被过去十五年前南方的阴雨天气影响而来。我文字风格，假若还有些值得注意处，那只因为我记得水上人的言语太多了。

再过五年后，我的住处已由干燥的北京移到一个明朗华丽的海边③。海既那么宽泛无涯无际，我对人生远景凝眸的机会便较多了一些。海边既那么寂寞，它培养了我的孤独心情，海放大了我的感情与希望，且放大了我的人格……

[注 释]

①沈从文(1902—1988),现代作家、文物研究家。湖南凤凰人,苗族。著有小说《边城》等。②作者少年时期随当地土著部队在沅水流域生活过。辰水(辰河)是沅水的支流。③作者1929年后到青岛大学任教,校舍即在海边。

[赏 析]

20世纪30年代,沈从文写了一篇富有个性的"创作谈",强调他的创作与水的密切关系。沈从文是著名作家,但却认为他自己与文学毫无关系,因为他没有接受过系统的文学教育,自己的写作基础不是"文章作法"之类的书籍,而是建筑在"水"上。这样的感受,具有沈从文个人生活的特色。沈从文的故乡湘西凤凰县,是水资源丰富的地方,一条小有名气的沱江穿城流过。作者童年及此后的经历,都与"水"有密切的关系。从在家乡小河流里嬉戏玩耍,到沅水、辰河一带的行伍经历,再到大海边的见闻、感受,沈从文的写作一直与"水"联系着,创作的眼界也逐渐开阔。"水"给了沈从文灵感,也提供给他创作的原材料。他的作品(如著名的《边城》、《八骏图》等)多以近水的生活作为背景,其中的人物也大都取自水边、船上的所见所闻。其创作风格,也与在江河、海边的人生经历有关,它是灵动、纯洁的,也是开阔、深厚的。

很多现代作家都强调写作来自生活经验,沈从文更进一步把自己的生活经验具体、形象地归结到"水"上,细致深入地揭示了"水"对于创作的重要作用,这是很有独特个性的。其实,不仅作家,一般人在生活中经常接触江河湖海,也会有助于思维的活跃、性灵的激发。

32. 听泉[1]

［日］东山魁夷[2]

鸟儿飞过旷野。一批又一批，成群的鸟儿接连不断地飞了过去。有时候四五只联翩飞翔，有时候排成一字长蛇阵。看，多么壮阔的鸟群啊！……

鸟儿鸣叫着，它们和睦相处，互相激励；有时又彼此憎恶，格斗、伤残。有的鸟儿因疾病、疲惫或衰老而失群。

今天，鸟群又飞过旷野。它们时而飞过碧绿的田原，看到小河在太阳照耀下流泻；时而飞过丛林，窥见鲜红的果实在树荫下闪烁。想从前，这样的地方有的是。可如今，到处都是望不到边的漠漠荒原。任凭大地改换了模样，鸟儿一刻也不停歇，昨天，今天，明天，它们继续打这里飞过。

不要认为鸟儿都是按照自己的意志飞翔的。它们为什么飞？它们飞向何方？谁都弄不清楚，就连那些领头的鸟儿也无从知晓。

为什么必须飞得这样快？为什么就不能慢一点儿呢？

鸟儿只觉得光阴在匆匆忙忙中逝去了。然而，它们不知道时间是无限的，永恒的，逝去的只是鸟儿自己。它们像着了迷似地那样剧烈，那样急速地振翮翱翔。它们没有想到，这会招来不幸，会使鸟儿更快地从这块土地上消失。

鸟儿依然忽喇喇拍着翅膀，更急速、更剧烈地飞过去……

森林中有一泓清澈的泉水，发出叮叮咚咚的响声，悄然流淌。这里是鸟群休息的地方，尽管是短暂的，但对于飞越荒原的鸟群说来，这小憩何等珍贵！地球上的一切生物，都是这样，一天过去了，又去迎接明天的新生。

鸟儿在清泉旁歇歇翅膀，养养精神，倾听泉水的絮语。鸣泉啊，你是否

指点了鸟儿要去的方向?

泉水从地层深处涌出来,不间断地奔流着,从古到今,阅尽地面上一切生物的生死,荣枯。因此,泉水一定知道鸟儿应该飞去的方向。

鸟儿站在清澄的水边,让泉水映照着身影,它们想必看到了自己疲倦的模样。它们终于明白了鸟儿作为天之骄子的时代已经一去不复返了。

鸟儿想随处都能看到泉水。这是困难的。因为,它们只顾尽快飞翔。

鸟儿想错了,它们最大的不幸是以为只有尽快飞翔才是进步,它们以为地面上的一切都是为了鸟儿而存在着。不过,它们似乎有所觉悟,这样连续飞翔下去,到头来,鸟群本身就会泯灭的,但愿鸟儿尽早懂得这个道理。

我也是群鸟中的一只,所有的人们都是在荒凉的不毛之地上飞翔不息的鸟儿。

人人心中都有一股泉水,日常的烦乱生活,掩蔽了它的声音,当你夜半突然醒来,你会从心灵的深处,听到幽然的鸣声,那正是潺潺的泉水啊!

回想走过的道路,多少次在这旷野上迷失了方向,每逢这个时候,当我听到心灵深处的鸣泉,我就重新找到了前进的标志。

泉水常常问我:你对别人,对自己,是诚实的吗?我总是深感内疚,答不出话来,只好默默低着头。

我从事绘画,是出自内心的祈望:我想诚实地生活。心灵的泉水告诫我:要谦虚,要朴素,要舍弃清高和偏执。

心灵的泉水教育我:只有舍弃自我,才能看得真实。

舍弃自我是困难的,甚至是不可能的,我想。然而,絮絮低语的泉水明明白白对我说:美,正在于此。

[注 释]

①本文选自《东山魁夷散文选》。②东山魁夷(1908—),本名东山新吉,日本著名画家、散文家。

［赏 析］

机械、刻板、快节奏的现代生活，使人们年复一年、日复一日地为求自己和家庭的温饱、生存而忙忙碌碌地工作、奔波，往往舍弃了休憩，舍弃了一切爱好、乐趣，心浮气躁，而物质对精神的束缚，更使得人们心情烦乱，五内不定，没有方向，没有理想，没有自己的自由意志，难以求得心灵的和谐、平静和安宁。作者所描写的漫无目标、不知疲倦、一刻也不停歇地飞行的鸟群，其实就是焦灼、疲惫、烦闷、精神空虚而又茫然的现代都市人的象征。曾经在旷野、田园、小河、丛林、树荫上空翱翔的鸟群，如今飞越的却是沙漠、荒原、"改换了模样"的大地。这其实是精神的沙漠、思想的荒原、心灵的不毛之地。而鸟群一味振翅高飞的结果是它们"更快地从这块土地上消失"。这是预言，是提醒，也是警告。

是悄然流淌的泉水，让鸟群能够小憩；是清澈的明净的泉水，照出了鸟儿"疲倦的模样"；是喷涌奔流的泉水，给作者以启迪。听泉是为了躲避争名逐利的嘈杂，远离凡尘苦恼，净化自己的心灵。与泉接近是远离喧嚣，调节心理平衡，感悟人生的另一种境界。与泉水为邻，其实就是与大自然为邻。与泉水对话，其实也是与大自然对话。泉水是明镜，是灵性，是真实的自我，让人超凡脱俗，归于自然；泉水是历史，是启示，是榜样，让人自省深思，知所进退；泉水是先知，是诤友，是良师，让人感悟人生，把握人生。当心灵的泉水从干涸的心田流过，人们就会摆脱因追逐名利而产生的凡尘苦恼、人生忧愁，对自己，对别人都能诚实，心灵就变得美好。心灵的美在于谦虚，在于朴素，在于真实，在于诚实，在于舍弃自我。这就是泉水给作者的启示，也是给读者的启示。

东山魁夷的散文，一如他的绘画，美在淡雅与静寂，表现出一种对自然和人生的深深依恋和淡淡伤感，其中蕴藏着幽深的内涵、浓郁的韵味。这种艺术境界，就是他的人生境界。

叁

优美之水

33. 新安江水至清，浅深见底，贻京邑游好[①]

沈　约[②]

眷言访舟客[③]，　兹川信可珍[④]。
洞澈随深浅[⑤]，　皎镜无冬春[⑥]。
千仞写乔树[⑦]，　百丈见游鳞[⑧]。
沧浪有时浊[⑨]，　清济涸无津[⑩]。
岂若乘斯去[⑪]，　俯映石磷磷[⑫]。
纷吾隔嚣滓[⑬]，　宁假濯衣巾[⑭]？
愿以潺湲水[⑮]，　沾君缨上尘[⑯]。

［注 释］

①贻：赠送。京邑：指金陵，南朝的宋、齐、梁、陈均建都于此。游好：交游的好友。②沈约(441—513)，南朝梁代文学家、史学家，字休文，吴兴武康(今浙江德清西)人。与谢朓等开创“永明体”，推动了诗歌向格律化发展。③眷言：眷，眷顾，怀顾。言，语助词，无意义。④兹川：这条河，指新安江。信：确实。⑤洞澈：水清澈明净的样子。随：随便。⑥皎镜：明洁的镜子。无：无论。⑦千仞：八尺曰仞，千仞言极高。写：同“泻”，泻映。⑧游鳞：游鱼。⑨沧浪：《孟子·离娄上》：“沧浪之水清兮，可以濯吾缨；沧浪之水浊兮，可以濯我足。”⑩清济：清清的济水。无津：无水。⑪岂若：哪里比得上。斯：指新安江。⑫磷磷：同“粼粼”，石在水中清晰的样子。⑬纷：借用《楚辞》的格式，用在句首表盛多貌。如《离骚》：“纷吾既有此内美兮。”嚣滓：尘嚣污秽之地，这里指京城的官场。⑭宁：难道。假：借助于。⑮愿：希望。潺湲：水流的样子。⑯沾：洗去。缨：冠缨。《孟子·离娄上》：“清斯濯缨。”

［赏 析］

这首诗写的就是一个“清”字：水之清、人之清。关于新安江水的清，吴均在《与朱元思书》中提到：“自富阳至桐庐，一百许里，奇山异水，天下独绝。水皆缥碧，千丈见底；游鱼细石，直视无碍。”孟浩然在游历了富春江之后也说：“湖经洞庭阔，江入新安清。”

沈约在诗的一开头就发出了“信可珍”的感叹，然后从正面、侧面、对比的角度反复突出了水的清澈。因为水清，因此可以“随深浅”、“无冬春”；因为水清，所以“乔树”、“游鳞”都能映照；因为水清，“沧浪”、“清济”都不能比拟。接下来的“岂若”句则从水清过渡到人清。写水之清是所见，转到人之清是所感。中国传统思想认为纯洁的水能够洗去人心中的尘滓污垢。孔子说：“达则兼济天下，穷则独善其身。”沈约此时正是外放之际，仕途的不如意使他反观自身，优美的山水使他的心灵得到净化。《文选》中说：“谓去京师嚣尘之地以往东阳，自然隔越，亦不须濯衣巾。”诗人有感于京邑同好在官场中浸染既久，难免有许多俗尘，需要用纯净的水洗涤干净。可见优美的水可以使人心灵沉静，返朴归真。

34. 渡青草湖[1]

阴　铿[2]

洞庭春溜满[3]，平湖锦帆张。沅水桃花色[4]，湘流杜若香[5]。穴去茅山近，江连巫峡长[6]。带天澄迥碧[7]，映日动浮光。行舟逗远树，度鸟息危樯[8]。滔滔不可测，一苇讵能杭[9]？

［注 释］

①青草湖：在今湖南省岳阳市西南，与洞庭湖相连，两湖向来并称。②阴铿：南朝诗人，生卒年不详，字子坚，武威姑臧（今甘肃武威）人。五言诗为当代所重。传诗不多，风格清丽。③春溜：春水。④沅水：即沅江，入洞庭湖，桃源县在其左岸。此处"桃花色"是说两岸多种桃花，掩映水中，使沅水也带桃花色。⑤杜若：香草名。⑥"穴去"两句：穴：指神仙的洞府。茅山：即句曲山，在今江苏省句容市东南。相传汉代茅盈、茅固、茅衷兄弟三人在此得道成仙。江：指长江。巫峡：今重庆市巫山县东，有巫山神女的传说。这两句是说，自青草湖东可达茅山仙人洞，西可去巫山神女峰，极言其水势浩淼。⑦迥碧：迥，远。迥碧即远天的青色。⑧"行舟"两句：逗，停止。此句是说，船行到远处，看上去就像是停在树边不动了。度鸟，飞过湖的鸟。危，高。樯，桅杆。此句是说，鸟不能一翅飞度，中途要停在高桅上休息。两句极言湖面广阔。⑨"滔滔"两句：《诗经·卫风·河广》有诗句云："谁谓河广，一苇杭之。"河，即黄河。杭，通"航"。一苇，一束芦苇。讵（jù），岂。这两句的意思是说，青草湖这么浩淼，不是凭借一束芦苇就能渡过去的。

[赏析]

《渡青草湖》是阴铿的代表作之一，该诗描写湖景，视野开阔，风格清丽。

青草湖与洞庭湖相连，春水上涨之时两湖连为一体，诗歌开头两句，一个“满”字，一个“平”字便将一幅湖水潋滟、春光浮漾的画面全景式地在读者眼前铺开。以下四句描写青草湖的壮阔之景，美丽的桃花色、芬芳的杜若香、望不到边际的湖水，作者从不同的角度将春日晴和、湖水微漾的宏观图景呈现出来。同时，这四句诗每一句都能让人产生联想，“桃花色”使人想到陶渊明笔下的桃花源，杜若香使人想到屈原笔下的湘君和湘夫人，茅山使人想到修炼成仙的道士，巫峡使人想到巫山神女，诗歌将实景与传说相结合，为具体可感的事物染上了一层神秘色彩，拓展了读者的想像空间。“带天”以下四句写青草湖的幽深之景，作者通过对行舟和度鸟的特写突出了某些细节，一叶扁舟，数只飞鸟，点缀在浩淼的湖面上，大者愈大，小者愈小，全诗将宏观和微观结合，远景和近景结合，写景非常有层次。诗人在诗歌结尾发出的感慨“滔滔不可测，一苇讵能杭”则更加突出了青草湖的浩淼之状，青草湖的湖景给读者留下的印象也更为深刻。

35. 与朱元思书

吴 均[1]

风烟俱净，天山共色，从流飘荡，任意东西。自富阳至桐庐[2]，一百许里，奇山异水，天下独绝。水皆缥碧，千丈见底；游鱼细石，直视无碍。急湍甚箭，猛浪若奔。夹峰高山，皆生寒树，负势竞上[3]，互相轩邈[4]，争高直指，千百成峰。泉水激石，泠泠作响[5]；好鸟相鸣，嘤嘤成韵。蝉则千转不停，猿则百叫无绝。鸢飞唳天者，望峰息心[6]；经纶世务者，窥谷忘返[7]。横柯上蔽，在昼犹昏；疏条交映，有时见日。

[注 释]

①吴均(469—520)，南朝作家。字叔庠，吴兴(今浙江安吉)人。擅长诗歌、散文，文体清拔，时人称“吴均体”。②富阳、桐庐，均属今浙江省。③负势竞上：依靠着山水的气势而争着向上。④互相轩邈：彼此争高争远。轩，高。邈，远。⑤泠泠(líng)：清脆的流水声。⑥“鸢飞唳天者”一句：鸢(yuān)，鹰类猛禽。“鸢飞唳天”比喻在政治上追求高位的人。此句意为，那些一心追求仕途高升的人，见到这样美的山水应当停息了原来的念头。⑦“经纶世务者”句：指那些忙于从政做官的人，看了这些山谷也会流连忘返。

[赏 析]

中国的山水文学从南朝开始兴盛，出现了许多著名作家和作品。本篇描写浙西富春江一带的秀美风景，是齐梁山水文学中的名篇，几乎每一种山水文学选本都有此文。

浙西富春江上，单是沿江，就有很多风景名胜，如桐君山、严子陵钓台，以及当地人称为“小三峡”的江段。本篇描写的富阳至桐庐一带的山水，是带有鲜明风格的自然状态的美。它有两个突出特征：一是纯净、纯洁。山苍翠，水清澈，以至于江中的鹅卵石和细小的游鱼一一清晰可见。二是幽静、安详。泉水激石，飞鸟鸣唱，蝉的吟哦，猿的鸣叫，都清晰入耳。如此优美的山水，对于作家来说，是促发创作的灵感。而像本文所指的那些在仕途上一心追求高升的人，面对如此纯洁的水，也会洗去心中的俗念，在一定程度上回归人的自然本性。对于现代社会的普通人来说，在繁重工作之余，投身于美好的山水之中，能够洗去劳累，忘却烦恼，净化心灵。欣赏美好山水，是生活的享受，是人类的幸福。当然，美好的山水更需要人们用心去珍爱。

本篇将山水合写，但细细体会就会感到，纯洁而有活力的水在文中产生的美学感染力更大，给人的印象更鲜明。

36. 阳城淀[①]

郦道元[②]

博水又东南经谷梁亭南[③]，又东经阳城县，散为泽渚[④]。渚水潴涨[⑤]，方广数里，匪直蒲笋是丰[⑥]，实亦偏饶菱藕。至若娈婉丱童及弱年崽子[⑦]，或单舟采菱，或叠舸折芰[⑧]，长歌阳春，爱深渌水[⑨]，掇拾者不言疲，谣咏者自流响。于时行旅过瞩，亦有慰于羁望矣[⑩]！世谓之为阳城淀也。

[注 释]

①本文节选自《水经注》。阳城淀：古湖泊名，在今河北省望都县东。②郦道元(466 或 472—527)，字善长，范阳涿鹿(今河北涿州)人，北魏地理学家、散文家，著有《水经注》。③博水：即今唐河，流经河北省西部。④泽渚：沼泽。⑤潴(zhū)涨：水汇聚而上涨。⑥匪直：非但。匪，同"非"。直，特，但。蒲笋：香蒲的嫩苗，可食。⑦娈婉丱(guàn)童：相貌美好的女孩。丱，儿童束发梳成两角的样子。弱年崽子：年幼的男孩。⑧叠舸：许多船。芰(jì)：菱。⑨渌(lù)：清澈。⑩羁望：漂泊在外的心情。

[赏 析]

这是郦道元笔下北方的水的另一种形态，与《孟门》中所写的黄河形成鲜明的对比。

作者先交代阳城淀的成因："博水又东南经谷梁亭南，又东经阳城县，散为泽渚。"一个"散"字，将博水流经阳城县东后在低凹处分流、漫泛、蓄积的过程都概括其中。"渚水潴涨，方广数里，匪直蒲笋是丰，实亦偏饶菱藕。"水涨了，水面大了，形成沼泽，水生植物生长旺盛，盛产蒲笋菱藕。作者有意在后两句以递进句式，将重点放在菱角莲藕上，用一个表示出乎寻常的"偏"

字，突出阳城淀所具有的北方水乡的特色，为人物活动提供了背景。这是一个景色秀丽如阳春的初秋，采菱的幼男少女们荡舟淀中，手不停，喉不歇，长声咏唱，心情愉悦，欢歌相和，声传水上。作者用简洁生动的文字，将风景画、风俗画、人物画有机地融为一体，使读者如临其境，如见其景，如闻其声，如感其情。接着写旁观入神而忘却乡愁的行旅者，从侧面进一步烘托出此情此景的美，最后以“世谓之为阳城淀也”作结，点明地名。全篇笔调欢快，清新明丽，极富意趣。

37. 入若耶溪[①]

王　籍[②]

艅艎何泛泛[③],空水共悠悠。阴霞生远岫[④],阳景逐回流[⑤]。

蝉噪林逾静,鸟鸣山更幽。此地动归念,长年悲倦游。

［注 释］

①若耶溪:在绍兴市东南,发源于若耶山,北入鉴湖。②王籍:生卒年不详,南朝梁诗人,字文海,琅邪临沂(今山东临沂)人。③艅艎:舟名。④远岫:远处的峰峦。⑤阳景:日影。

［赏 析］

王籍长于山水诗，本诗是若耶溪幽静景色的生动写照。诗人乘舟沿若耶溪逆流而上，“泛泛”两字，既写出水域宽阔，还表达了诗人的喜悦之情。抬头望天，天晴气爽，低头看水，溪水清澈，云水共悠悠，自然而和谐。“悠悠”显出“空水”寥远之态，情韵生动。三四句写眺望远山时所见之景，远处写山，近处写水，以云霞衬群山，以日影照清水，山水相映，境界奇美。诗人用“生”字突出云霞的动态美，用“逐”字写阳光仿佛有意地追逐着清澈的溪流。把无生命的云霞、阳光写得生动而有情，诗意盎然。“蝉噪林逾静，鸟鸣山更幽”是千古传诵的名句，被誉为“文外独绝”。前两句从视觉落笔，这两句则是从听觉落笔，写山林的幽静，是以动衬静，用声响来衬托一种静的境界，诚如钱钟书先生在《管锥编》中指出的“寂静之幽深者，每以得声音衬托而愈觉其深”。最后两句写如此美景和幽静的环境，不禁让诗人动了厌倦宦游、回乡归隐之心。全诗因景生情，进而抒怀，文辞清婉，音律谐美，创造出幽静恬淡的艺术境界。此后崔颢的《入若耶溪》、孟浩然的《耶溪泛舟》等，或多或少受此诗影响。

38. 春江花月夜[①]

张若虚[②]

春江潮水连海平，　　海上明月共潮生。
滟滟随波千万里[③]，　　何处春江无月明！
江流宛转绕芳甸[④]，　　月照花林皆似霰[⑤]。
空里流霜不觉飞，　　汀上白沙看不见。
江天一色无纤尘，　　皎皎空中孤月轮。
江畔何人初见月？　　江月何年初照人？
人生代代无穷已，　　江月年年只相似。
不知江月待何人，　　但见长江送流水。
白云一片去悠悠，　　青枫浦上不胜愁[⑥]。
谁家今夜扁舟子[⑦]？　　何处相思明月楼[⑧]？
可怜楼上月徘徊[⑨]，　　应照离人妆镜台。
玉户帘中卷不去，　　捣衣砧上拂还来[⑩]。
此时相望不相闻，　　愿逐月华流照君。
鸿雁长飞光不度，　　鱼龙潜跃水成文[⑪]。
昨夜闲潭梦落花，　　可怜春半不还家。
江水流春去欲尽，　　江潭落月复西斜。
斜月沉沉藏海雾，　　碣石潇湘无限路[⑫]。
不知乘月几人归，　　落月摇情满江树[⑬]。

[注释]

①《春江花月夜》是乐府《清商曲辞·吴声歌曲》旧题，此曲调创始于陈后主，其时的主要特色是艳丽柔靡。②张若虚：生卒年不详，唐代诗人。扬州人，生平事迹不可详考。所作诗篇多散佚，《全唐诗》中仅存二首。③滟滟：水波动荡闪烁的样子。④芳甸：花草丛生的原野。甸：郊外之地。⑤霰：

雪珠，这里形容皎洁月色下的花朵。⑥青枫浦：又名双枫浦，在今湖南省浏阳县。这里泛指分别之地。⑦扁舟子：指飘零的游子。⑧明月楼：明月照耀下的闺楼。此句写楼中的思妇。⑨徘徊：指月影移动。曹植《七哀诗》："明月照高楼，流光正徘徊。上有愁思妇，悲歌有余哀。"⑩"玉户"二句：卷不去，拂还来，是说月色带着离愁渗透思妇的心头，无法排遣。玉户：指思妇居室。⑪"鸿雁"二句：写游子、思妇间难通书信。度：通"渡"。鱼龙：鲤鱼。文：通"纹"。⑫碣石：山名，在今河北省秦皇岛。潇湘：水名，在今湖南省。碣石、潇湘泛指天南地北。无限路：极言离人相距之远。⑬"落月"句：纷乱的离情，伴随着落月余辉，洒落在江边的树上。

[赏析]

《春江花月夜》原为六朝乐府旧题，到张若虚笔下却写出了崭新的境界。内容虽然仍为传统的游子思妇题材，但在内涵上有重大突破。诗人拓展了这一诗题的内涵，将男女相思之情的抒发置于幽美、纯净、开阔的春江花月夜背景下，融情入景，既有对大自然的美丽永恒的羡慕与赞美，又有对人生短暂、韶华易逝的感慨与喟叹，使传统的"闺怨"情绪得到了升华和丰富。闻一多先生称誉此诗为"诗中的诗，顶峰上的顶峰"、"孤篇压全唐"，虽不无溢美，但也充分表明了此诗艺术上达到的高度。

从欣赏水的角度看，该诗的精华在于，水既是诗中描写的景物，又是触发抒情主人公(闺中少妇)情思的媒介。在这首诗中，江水长流不已，象征着代代无穷的人生，相比之下，个人的青春是短暂的，流水滔滔东去象征着青春的逝而不返。因此，主人公面对长江流水抒发了对历史、人生、青春的感慨，具有"强烈的宇宙意识"(闻一多语)。"水"在这首诗中是情景交融的。照法国哲学家狄德罗的说法，水在这里已经不是"生糙的自然"，而是具有某种思想内涵的"人化自然"。诗中描写了水的丰富形态——江水、海水、潮水、波浪、波纹、潭、雾，以及与水密切相关的景物，如江汀、白沙、青枫浦(渡口)、扁舟、鱼龙、江树。这些在诗中都成为美的意象，共同构成了全诗开阔兼有秀美的意境。

39. 青溪

王　维①

言入黄花川②，　每逐青溪水③。
随山将万转，　趣途无百里④。
声喧乱石中，　色静深松里。
漾漾泛菱荇，　澄澄映葭苇。
我心素已闲，　清川澹如此。
请留盘石上，　垂钓将已矣。

［注 释］

①王维（701—761），字摩诘，蒲州（今山西永济县）人。盛唐诗人。②言：发语词，无实义。黄花川：今陕西凤县东北黄花镇附近。③逐：循、沿。青溪：在今陕西沔县之东。④趣：同“趋”。

［赏析］

青溪是一条名不见经传的小溪，但王维的这首诗却是咏水之名篇。诗歌首先写出了青溪的蜿蜒曲折，小溪虽长不及百里，但溪水随着山势蜿蜒盘曲，千回百转。接着，诗人又抓住了溪水时而活泼热闹，时而娴静安谧的特点，当溪水在山间乱石中穿行时，水势湍急，溪流潺潺，一片喧哗。而当它流经松林时，又显得那么安静。此时，水面开阔的青溪又呈现出另一幅画面：水面上浮着菱叶、荇菜等，微波荡漾，十分悠闲，岸边的芦花、苇叶，倒映在清澈的溪水里，摇曳生姿。“漾漾”描绘水动貌，“澄澄”体现水静貌，一动一静，生动传神。水性素淡，水还有善下、不争，宁静、淡泊的特性，诗人以青溪水的淡然反映自己淡泊、闲适的愿望与心境，物境与心境高度统一，给人以美的艺术享受。

40. 清溪行[①]

李　白

清溪清我心，　　水色异诸水。
借问新安江[②]，　见底何如此？
人行明镜中，　　鸟度屏风里。
向晚猩猩啼，　　空悲远游子。

[注 释]

①清溪：源出石台县，主要在今安徽池州境内。②新安江：源出徽州，流入浙江，向以水清著称。

［赏 析］

清溪像一条玉带，蜿蜒曲折，流经贵池城，与秋浦河汇合，最后注入长江。这首诗着意描写清溪水色的清澈，寄托诗人喜清厌浊的情怀。新安江水清澈异常，天下闻名，然而，在诗人眼中，与清溪相比却要逊色许多，诗人以新安江水衬托清溪的更加清澈。然后，又用比喻的手法正面描写清溪之清澈。水面如“明镜”，两岸群山似“屏风”，人在岸上行走，鸟在山中穿度，倒映在清溪之中，“人行明镜中，鸟度屏风里”，构成一幅空灵的图画。李白离开长安这个名利场，来到水清如镜的清溪畔，固然感到“清心”，但终不免有一种心灵上的孤寂。所以，入晚时猩猩的声声啼叫，仿佛是在为自己远游他乡而悲泣，此时，一种落寞郁悒的情绪弥漫飘荡于清溪之上。

41. 右溪记[①]

元 结[②]

道州城西百余步[③],有小溪。南流数十步,合营溪[④]。水抵两岸,悉皆怪石,攲嵌盘屈[⑤],不可名状。清流触石,洄悬激注。休木异竹[⑥],垂阴林荫[⑦]。此溪若在山野,则宜逸民退士之所游处[⑧];在人间[⑨],可为都邑之胜境,静者之林亭[⑩]。而置州已来[⑪],无人赏爱;徘徊溪上,为之怅然!乃疏凿芜秽,俾为亭宇;植松与桂,兼之香草[⑫],以裨形胜。为溪在州右,遂命之曰"右溪"。刻铭石上,彰示来者。

[注 释]

①右溪:湖南道县境内城西的一条小溪,为作者任道州刺史时所发现并命名。②元结(719—772),字次山,河南鲁山(今河南鲁山县)人。唐代古文运动的先驱者之一。③道州:州名,唐时属江南西道,治所在今湖南省道县。④营溪:河流名,发源于今湖南省宁远县南,流经道县,北至零陵县西入湘水。⑤攲(qī)嵌盘屈:倾斜嵌叠、曲折盘旋的样子。⑥休:美好。⑦阴:树荫。荫:遮盖。⑧逸民退士:退居山林的隐士。⑨人间:与前文"山野"对称,指有居民的地方。⑩静者:喜欢清静的人。⑪置州已来:成为州的治所以来。唐高祖武德四年(621年)置营州,后改为道州。已,通"以"。⑫香草:即香茅,多年生草本植物,其根状茎蔓延,可巩固坡地。这里也可指芬香的花草。

[赏 析]

元结任道州刺史时闲时出游,见城西一条小溪迤逦而流,便一路尾随。蓦然发现,泉清石奇,草木葱郁,环境十分优美,便对它进行一番修葺,刻石铭文,取名"右溪"。右溪之美,其一为"水清";其二为"石奇";其三为"木

佳”。两岸的怪石和竹木，为溪水增添了几分秀美。在嶙峋怪石中、绿荫佳木下，溪水激起层层浪花，回旋连绵而去。右溪如果在空旷的山野，那是很适合隐士居住的；如果在人烟密集的地方，也可以成为市民游览的胜

地、喜欢清静者休憩的园林。但这样一个好的处所，如此胜境，却无人赏识，右溪像一块未曾雕琢的璞玉，静静躺在城西，等候知音。诗人用淡雅隽永的文笔，描绘右溪的幽趣，同时传达了一种“好景无人识”的惆怅，寄托了个人的情怀；从容简练的描写，以及间杂其间的意味，使右溪多了几分灵动。

42. 竹枝词[①]（二首选一）

刘禹锡[②]

杨柳青青江水平，　闻郎江上唱歌声。
东边日出西边雨，　道是无情却有情。

［注释］

①竹枝词，见第8篇《潞河竹枝词》注释①。②刘禹锡（772—842），中唐著名诗人，字梦得，洛阳人。与白居易为诗友，并称“刘白”。仿民歌的《竹枝词》创作，在唐诗中别开生面，对后世影响很大。

[赏 析]

刘禹锡仿民歌创作的《竹枝词》,有很多首是描写三峡一带的民俗风情。那里水多,雨多,水在人的基本生活环境中成为突出的元素。亲水,是人本能的情感倾向,水不仅是人生活的必需,也是人赏心悦目的审美对象,还是焕发美感、孕育爱情的美好环境。这首诗描写的水环境是优美、温柔的:岸边杨柳青青,如青春的生命力一样旺盛,也像青年人的情感一样细致绵长;江水丰盈而不汹涌,波平如镜的江面,温润如玉的江水,构成了青年男女两情相悦的优美场景;雨后彩虹,情郎放歌,更增加了浪漫氛围。这样的环境,最适宜爱情的萌发和生长,水面、河边成为青年人表达恋情的场所,水象征着爱情的温柔、纯洁和含蓄,并且与抒情主人公(少女)的身份、性格相契合。水,在这里催生着也见证着青年美好的爱情。如此美好的水环境,无论在古代社会还是现代社会,都是令人向往的。

43. 小石潭记[1]

柳宗元[2]

从小丘西行百二十步，隔篁竹[3]，闻水声，如鸣珮环，心乐之。伐竹取道，下见小潭，水尤清冽，全石以为底，近岸卷石底以出，为坻[4]，为屿[5]，为嵁[6]，为岩[7]。青树翠蔓，蒙络摇缀，参差披拂。潭中鱼可百许头，皆若空游无所依。日光下澈，影布石上，佁然不动[8]，俶尔远逝[9]，往来翕忽，似与游者相乐。潭西南而望，斗折蛇行，明灭可见。其岸势犬牙差互，不可知其源。坐潭上，四面竹树环合，寂寥无人，凄神寒骨，悄怆幽邃。以其境过清，不可久居，乃记之而去。同游者：吴武陵、龚古、余弟宗玄。隶而从者：崔氏二小生，曰恕己，曰奉壹。

[注 释]

①小石潭：在今湖南永州境内。②柳宗元（773—819），河东解县（今山西运城）人，中唐诗人。与刘禹锡等人一起参加永贞革新，失败后，被贬永州。③篁（huáng）竹：竹林。④坻（chí）：水中高地。⑤屿：小岛。⑥嵁（kān）：不平的岩石。⑦岩：有石窟的岩石。⑧佁（yí）然：痴呆不动的样子。⑨俶（chù）尔：突然动起来。

[赏 析]

小石潭一汪清水，幽美静穆，空明澄澈。文中直接写水的文字并不多，作者用清词丽句写鱼、写树木、写岩石，似乎与水无涉，但落脚处处是水。鱼儿历历可见，仿佛悬在空中，言水之清之明；树木枝蔓相缠，青翠欲滴，写水之幽之静；岩石各异其形，参差其间，写水之奇之秀。小石潭隐匿竹林间，非寻常之所能见，未见其形，先闻其声，如宝玉扣击之脆耳，待伐竹取道，寻而得见，却无法找到其源头。柳宗元贬官后在如此偏僻的化外之地，遇到高洁、幽邃、凄清的小石潭，一如超凡脱俗之仙人，流水知音，幽美清纯的水形象与作者孤傲的心情自然融合为一体。

44. 湘江曲[1]

张　籍[2]

湘水无潮秋水阔，　湘中月落行人发。
送人发，送人归，　白蘋茫茫鹧鸪飞[3]。

［注 释］

①湘江：湖南省最大河流。源出广西壮族自治区灵川县东海洋山西麓，流贯湖南东部，经衡阳、湘潭、长沙等地到湘阴，注入洞庭湖。②张籍(767—830)，字文昌，原籍苏州。曾任水部郎中(负责水利的中央官员)，又称张水部。③白蘋：水生蕨类植物。

[赏 析]

秋日湘江，无风无浪，放眼望去，更显得江面开阔。首句七个字中出现两个“水”字，这是诗词中常见的“同字”手法，也显示出“水”在这首诗中是一个极其重要的意象。秋水已萧条，再加月夜，更添几分愁绪。此时的湘江之水，无边无际，却波澜不惊。月已落，江水愈显渺茫，宁静祥和。古人好用“秋水”表达依恋的情感，秋江的无潮正反衬出诗人心潮难平，而秋江的开阔也正反照出诗人心情的愁苦郁结。斯人已去，主人伫立江边，遥望征帆远去，白蘋茫茫，鹧鸪点点哀鸣，凄凉愁怨。语浅情深，平中见奇，笔意轻捷而饶有变化。唐代就有人称赞张籍的乐府诗“浅语皆有致，淡语皆有味”，实在是恰当的评价。

45. 春题湖上[①]

白居易

湖上春来似画图，　　乱峰围绕水平铺。
松排山面千重翠，　　月点波心一颗珠。
碧毯线头抽早稻[②]，　青罗裙带展新蒲[③]。
未能抛得杭州去，　　一半勾留是此湖。

[注 释]

①湖：即杭州西湖。此诗作于作者卸杭州刺史之任前夕。②“碧毯”句：描写春季西湖边农田如同绿毯，早稻刚刚插秧。③青罗裙带：比喻西湖边清澈秀丽的小溪。蒲：一种生长在水中的草本植物，绿叶修长柔韧，迎风摇曳，颇有韵致。

[赏 析]

西湖，是一首诗，一幅画，一个美丽动人的故事，有天生丽质的动人神韵，自古至今，多少骚人墨客都为这无与伦比的美景所倾倒。此诗是一首著名的杭州西湖春景诗，不仅是白居易山水诗中的佳构，亦是历代描写西湖诗

中的名篇之一。

首句描写西湖春日景色，谓其“似画图”，体现了白居易诗风浅近平易的特点，并带有较浓的感情色彩。“乱峰”以下三句，具体描绘如画美景：群山环绕，参差不一，湖面风平浪静；排排青松装点着山峦，如重重叠叠的翡翠；入夜，皎洁的月亮映入湖心，像一颗闪光的珍珠。多么美妙的景致！接下来两句，诗人别出心裁地以农事入诗，比喻新奇，既展现了西湖边秀美的春景，也体现出曾任杭州刺史的诗人对湖区民生、民事的关怀。

白居易即将抱着恋恋不舍的心情离开西湖，诗歌“以不舍意作结”，而曰“一半勾留”，那另一半是什么呢？后人评曰：“言外正有余情。”那么，其“言外余情”是什么呢？任杭州刺史之前，白居易原在长安任中书舍人，眼见时局日艰，朋党倾轧，屡屡上书言事而不被采纳，便选择了一条“中隐”之路，不做京官而做地方官，自求外任，到杭州当刺史。正如他在《初到郡斋寄钱湖州李苏州》一诗所云：“霅溪殊冷僻，茂苑太繁雄。唯此钱塘郡，闲忙恰得中。”这既是作者的心里话，也是此诗的“言外余情”。

46. 临江仙①

牛希济②

洞庭波浪飐晴天③，君山一点凝烟④。此中真境属神仙。玉楼珠殿，相映月轮边。

万里平湖秋色冷，星辰垂影参然⑤。橘林霜重更红鲜。罗浮山下⑥，有路暗相连⑦。

［注 释］

①临江仙：词牌名，原为赋水仙的词，后人取旧谱写新事，词牌渐与内容无关，逐步演化为曲调的名称。②牛希济（约 872—?），五代词人，陇西（今甘肃东南部）人，今存词 14 首。③飐（zhǎn）：原意是风使物颤动的意思，这里指湖水波涛汹涌，远与天接。④君山：又名洞庭山、湘山，相传舜妃湘君曾在此山游玩，山上现存湘妃祠。⑤参然：不齐的样子。⑥罗浮山：在今广东省东江北岸，据传葛洪曾修道于此，号称"道教第七洞天"。⑦有路暗相连：典故出自晋代谢灵运《罗浮山赋》："客夜梦见延陵茅山，在京之东南。明旦得经洞，所载罗浮山事云：'茅山是洞庭口，南通罗浮。'与梦中意相会。"

［赏 析］

历代吟咏洞庭湖的诗词浩如繁星，像"气蒸云梦泽，波撼岳阳城"、"吴楚东南坼，乾坤日夜浮"、"遥望洞庭山水色，白银盘里一青螺"、"西风吹老洞庭波，一夜湘君白发多"等，它们或豪壮、或清丽、或奇幻，八百里洞庭在不同审美主体的眼中气象万千，摇曳多姿。而牛希济词中

的洞庭则亦真亦幻,笼罩着一层神秘主义的面纱。

词的上片前三句写的是白天的景物,先极言水势之壮阔,连天都为之颤动,在浩淼的水面上君山也仅为"一点凝烟",洞庭之水展示出开阔、壮观的气象。词的开头如黄河之水澎湃而来,已经把气势用足用尽了,下面该如何衔接才能使文气贯通呢?词人在此由实转虚,后两句写的是虚拟的夜景,以天马行空的想像使文思实现了升华。奇异诡谲的神话世界能引起人的遐思,而人们对未知世界怀有先天的畏惧,这种遐思与畏惧交织的矛盾心理不正是我们对大自然的态度吗?

下片从不同的角度写洞庭秋色:第一句是远眺,明澈的秋水之所以冷,是因为词人把自己的主观感觉投射到湖面上,这是移情的写法。第二句,词人的视线在天水间徘徊,天光水色互相映照,满天星辰都在这万顷碧波中浮沉,这是多么大的气魄,多么美的奇景!第三句写词人环顾周边,霜下橘林的红艳与澄澈的秋水形成映衬,丰富了湖景的色彩,这是典型的南方秋日的水环境。词人至此已经穷尽了自己目力所及的景致,词意再次由实变虚,眼中渺远的茅山与道家的神仙洞天相连,更进一步增加了词中的神秘主义色彩,与上片相呼应。

牛希济在词中吟咏洞庭湖时使用了以意尽象、化大为小的手法,词人的神思在现实与虚幻之间穿梭,较好地表现了洞庭湖的神韵,在众多描写洞庭湖的诗词中是把握得比较到位的。这样的水环境让人心旷神怡,不能不产生悠远的遐想。

47. 秋江写望[①]

林　逋[②]

苍茫沙咀鹭鸶眠[③]，　片水无痕浸碧天[④]。
最爱芦花经雨后，　一篷烟火饭渔船。

［注　释］

①写望：描写看到的景物。②林逋(967—1028)，字君复，逝后人称和靖先生，北宋著名诗人，钱塘(今浙江杭州市)人。性孤高自好，喜恬淡，隐居于杭州西湖孤山，植梅养鹤，人称“梅妻鹤子”。③沙咀：沙洲上深入水中的沙地。鹭鸶(lù sī)：一种水鸟。④浸：倒映。

［赏 析］

这首诗展示了一幅中国传统水墨画的意境——自然、宁谧、淳朴、清新宜人，在幽远的画意中表达的是一种典雅的中国古典美学追求。水是全诗的灵魂，秋水明澈、幽柔，全诗也浸润在这种自然通脱的明净之中。开头两句突出了水之“静”，这种静不是那种“蝉噪林愈静，鸟鸣山更幽”的动中之静，诗中只有静静的一片江天，鹭鸶安眠，片水无痕，世界似乎在这一刻凝固了。这种水环境具有鲜明的江南水乡特色，让人沉静。后两句将本诗的意趣带到了新的境地，诗人通过巧妙的借景使人联想到诗外的“风雨”，于是当下的静就透着舒缓、松弛，“烟火”、“渔船”的出现就非常自然，是思归情绪的自然流露。这种如诗如画的水环境，是令人留恋、向往的。

本诗题为“写望”，四句诗画面的衔接非常自然、流畅。随着视角的转移，画面也跟着运动起来，鹭鸶—水—天—芦花—渔船，对应着近景—远景—中景，层次感强，错落有致，类似电影的“蒙太奇”手法。

48. 采桑子

欧阳修[①]

轻舟短棹西湖好[②]，绿水逶迤，芳草长堤，隐隐笙歌处处随。
无风水面琉璃滑，不觉船移，微动涟漪，惊起沙禽掠岸飞。

[注 释]

①欧阳修(1001—1072)，字永叔，号醉翁，晚号六一居士，吉水(今属江西)人。为北宋文坛领袖。②西湖：此处指颍州西湖，又称汝阴西湖，在今安徽阜阳市西北1公里。湖原长5公里，宽1.5公里，菱荷十里，杨柳盈岸，为游人憩游胜境。唐宋时，与扬州西湖、杭州西湖并称。清嘉庆后，因黄河屡次决口，湖面逐渐淤塞。今存有会老堂并有欧阳修石刻。

［赏 析］

作者于皇祐元年(1049年)知颍州(今安徽阜阳),常去附近的西湖游玩。后来他在颍州居住,归老于颍州,写了一组《采桑子》词。除末阕外,每首皆以“西湖好”为首句,如“画船载酒西湖好”、“群芳过后西湖好”等,表现西湖四时景物。这首词为其中之一,写春天泛舟湖上的赏心乐事,上片写出作者悠然自在的神情和对西湖景物的赞美。西湖好在何处?好在有舒缓自在的绿波,有春花开放的湖堤,有春风送来、随处可闻的笙箫。有声有色,耳目并赏,令人心旷神怡。下片侧重表现湖上行舟的心理感觉和视觉感受:湖水清澈透明,轻舟在不知不觉中滑动,一切都那么空明、平稳、宁静,而微动的波纹竟惊动了沙滩上的禽鸟,纷纷展翅“掠岸飞”,使得整幅画面呈现动感,动静相宜。

49. 忆钱塘江

李 觏①

昔年乘醉举归帆②， 隐隐前山日半衔。
好是满江涵返照， 水仙齐著淡红衫③。

[注 释]

①李觏(gòu)(1009—1059)，宋代著名思想家，字泰伯，建昌军南城(今江西南城)人。诗风奇特。②举：高挂。③水仙：水中女神。

[赏 析]

西湖、钱塘江一直是诗人的歌咏对象。西湖是静美的，钱塘江则多是狂

暴的。而这首诗独辟蹊径，将自己的记忆定格为一幅“钱江夕照图”，在朦胧恬静的意象世界里表达了对往昔人生的追忆。

诗语贵新，本诗中不乏新语，使诗歌灵气盈动。作者写山，“隐隐前山日半衔”中的“衔”字，贴切生动，赋予描摹对象以生命，使全诗顿时灵动起来。诗人对“衔”字的妙用，来自诗人对外部世界的独特感知，更是其轻松、活泼心态的写照。作者写水用的“涵”字是一种胸襟的自然流露。在赋予水以生命的同时，也赋予了水博大的胸怀。结句运用浪漫的想像，将夕阳照耀下的江水拟人化——好像是水中仙子一起穿上了淡红的衣衫，呈现出美丽温柔的色彩。这种特殊情景下的水形象，具有很高的观赏价值。天水辉映的大色块给人鲜明的视觉感受，而模糊的意境恰如印象派画作，与首句中作者的“乘醉”状态相吻合。

“夕照”是文学描写中的经典意象，一般抒情基调都是惆怅伤感的。这首诗写“钱江夕照”，抒情基调却是明快的，传达出诗人对江南美景的爱慕，其中也隐约渗透了对已逝的青春年华和往昔生活经历的怀念。

50. 北山[①]

王安石[②]

北山输绿涨横陂[③]，　直堑回塘滟滟时[④]。
细数落花因坐久，　缓寻芳草得归迟。

[注 释]

①北山：即南京东郊的钟山。②王安石（1021—1086），北宋改革家、思想家、文学家，字介甫，号半山，江西临川（今江西抚州）人，世称临川先生。③陂（bēi）：水池。④堑：沟渠。回塘：弯曲的池塘。滟滟：春水在阳光下闪闪发光的样子。

[赏 析]

王安石历经政治风雨，晚年闲居于江宁府的"半山园"，寄情于山水之

间，文学创作渐入佳境。

本诗名为《北山》，实际上歌咏的是山中由春水营造出来的别致景色。山中的水环境不同于江河湖海，往往依于山林沟壑，或静或动，最为多姿。它一般没有阔大的气势，有的时候甚至还比较局促，但往往别有一番风味。北山既有碧玉般矜持自若的一汪春水，又有曲折透迤、欢快跳动的溪流，在日光绿树的映照下散发出眩目的光泽。“绿”、“滟滟”在“横陂”、“直堑回塘”中显得非常内敛，也很幽深。“落花”“芳草”更加深化了这种幽僻的氛围，也丰富了春意，使山水在颜色层次上更加饱满。而“细数”、“缓寻”既表现出诗人潇洒旷逸、从容不迫的神态，又暗含了一缕淡淡的闲愁。徜徉在这样的水边，坐数落花，缓寻芳草，忘怀得失，实在是人生的一大乐事。

51. 桂源铺

杨万里①

万山不许一溪奔，拦得溪声日夜喧。
到得前头山脚尽，堂堂溪水出前村。

[注 释]

①杨万里(1127—1206)，南宋著名诗人，字廷秀，号诚斋，江西吉水人。其诗自成一家，时号“诚斋体”。长于写景咏物，语言通俗，意境明朗清新。

［赏 析］

这是诗人面对某山区溪水油然而生的咏叹。诗人笔下的溪水是充分人格化了的，或者更具体地说，是青春化了的。对于欣赏本诗而言，桂源铺的具体位置不重要，有意思的是诗人笔下的溪水所具有的青春性格特征——充满活力，向往自由、创造，追求远大目标。而群山重重，总想阻拦溪水的前进，但尽管阻碍甚多，溪水总是向前曲折地奔流着，日夜发出喧闹之声，这正是青春、自由、创造在受到压抑时不屈的反弹，它象征着生命的活力、青春的呐喊。溪水一旦冲出群山的阻碍，就奔向了更加广阔的远方，开始它生命的新旅程。

在这个意义上，可以把这首赞美溪水的诗理解为青春的赞歌。

也许正因为如此，"五四"新文化运动时期，就有人曾把这首诗书赠给追求科学、民主、自由、创造的同道人。

52. 湖上寓居杂咏[①]

姜　夔[②]

苑墙曲曲柳冥冥[③]，　小静山空见一灯。
荷叶似云香不断，　小船摇曳入西陵[④]。

［注　释］

①湖，西湖。本诗为同题十四首组诗的第九首。②姜夔（约1155—约1221），字尧章，号白石道人，南宋词人，饶州鄱阳（今江西波阳）人。其诗语言精巧，音调自然，风格清远。③冥冥：昏暗的样子。④西陵：西兴镇，在今浙江萧山。

［赏 析］

姜夔的词“如野云孤飞，去留无迹”，他的诗也是这样。这首七绝描写西湖夏日夜景，通过迷离的景物营造迷茫与幽静的氛围，如写意画，寥寥几笔，神形皆备。

开头两句先写傍晚柳色的“冥冥”，再突出空山“一灯”，与夜色形成了对比，使夜色不失于单调，景色也由此幽远、空灵起来。后两句则以荷香入诗，弥补了色觉上的欠差，而香气萦绕，荷叶似云，西湖景致似真似幻，有如天上人间。“摇曳”二字使诗情如湖水般浮动不拘，言尽而意不尽，余音绕梁。

这首诗没有直接写水，但句句都在渲染夜西湖迷人的水环境。苑墙曲曲，杨柳依依，一灯如萤，荷叶连天。西湖美景，到了夜间有着别样的韵味，而江南湖水柔美的特点在这静谧、深邃、迷离的夜色中得到了充分体现。

53. 临平泊舟[①]

黄 庚[②]

客舟系缆柳阴旁[③]，　湖影侵篷夜气凉[④]。
万顷波光摇月碎，　一天风露藕花香。

［注 释］

①临平：即临平湖，在今浙江省临平县东南。②黄庚，元初作家，生于南宋末年，天台（今浙江天台县）人，字星甫。③柳阴：即柳荫。④侵篷：映照着船篷。

［赏 析］

本诗描绘的是一幅清新宜人的临湖夜泊图，格调舒缓、清爽、优美。

本诗写景视野不断变化，一句一景，一景一境界。首句实写，描绘泊舟之处绿荫如盖，树影婆娑。次句则将视点转移到船上，周围的一切在湖影暗夜中隐隐约约，此时，“凉”是诗人最直观的感知。随着画面情景渐趋扩大，诗人对外界的感知渐趋丰富。第三句又将视线投向茫茫的湖面：波光粼粼，涟漪轻泛，夜色迷离，醉人的月影在摇曳的波纹中轻轻荡碎了，此时的诗境已如这万顷波光般浩淼苍茫。结句是将视角从湖面转到天上，此时的天地为沁人心脾的藕花香气所充盈，香气不可捉摸，天地也由此虚幻起来。水面平静，氛围安详；湖岸植柳，绿树成荫；水面种莲藕，叶、花皆成美景；再加夜月溶溶，波光粼粼，构成典型的优美风格。诗人的视野如池中涟漪层层晕开，最终消散于无尽的天地，诗意摇曳、开阔。

诗人还善于调动各种感觉来丰富诗的意境。夏夜的湖光月影使人沉迷，渐次袭来的藕花香气使人沉醉，而无处不在的清凉又使人身心放松。

居此环境中，最易达到身心舒畅，实现人与自然的融合。这种情境怎能不让人心态趋于平和，安然入眠？

54. 双调·沉醉东风秋景①

卢　挚②

挂绝壁枯松倒倚③，落残霞孤鹜齐飞④。四围不尽山，一望无穷水。散西风满天秋意，夜静云帆月影低，载我在潇湘画⑤里。

[注 释]

①双调：宫调名，宜于表达健捷激越的情趣。沉醉东风：双调中常用的一种曲牌。②卢挚（约1242—1315），元代作家，字处道，一字莘老，号疏斋，又号嵩翁，涿郡（今河北涿州市）人。其散曲风格自然活泼，表现出元前期散曲作家清丽派的特色。③本句化用李白《蜀道难》中“连天去峰不盈尺，枯松倒挂倚绝壁”的句意。④本句化用王勃《滕王阁序》中“落霞与孤鹜齐飞，秋水共长天一色”的句意。⑤潇湘：湖南境内有湘水和潇水，潇湘两岸风景如画，二水于零陵交汇。潇湘画：指宋代画家宋迪描摹潇湘两岸风景的《潇湘八景图》。

［赏析］

这首《双调·沉醉东风秋景》虽为散曲，在意境上却与诗、画有相通之处。在画廊般的潇湘、洞庭游弋徜徉，作者的心态轻松愉悦，笔下的景物也充满了情趣。

此曲写作者船上所见，由傍晚到入夜，由江流到湖面，船进景退，有移步换景之妙，诗情融于画意而又溢满画幅。写江景则山势陡峻，树木森然，连绵的山作江岸，江水如游蛇般蜿蜒于峡谷底部。一叶扁舟穿行于“不尽山”与“无穷水”中，周遭的山水显得气象阔大，意境飞动。写湖景则由于水面辽阔，月儿低挂在天上，夜显得十分安静。秋风徐来，小船静静地在如画的水面上夜行，正所谓“江清月近人”，一切都令人陶醉，使人流连忘返。

此曲化用唐人诗句描写了潇湘沿岸的迷人秋色，由具象至茫远，由黄昏至静夜，动静结合，构成了气象阔大、意境飞动的秋光图，表达出作者悠闲宁静而略带萧瑟的情怀。

55. 石门泉[1]

汤显祖[2]

春虚寒雨石门泉，　远似虹霓近若烟[3]。
独洗苍苔注云壑[4]，　悬飞白鹤绕青田[5]。

［注 释］

①石门：在今浙江青田县西，双峰对峙如门，如名。泉：瀑布。②汤显祖(1550—1616)，明朝戏曲家，字义仍，号若士，祖籍江西临川。著名剧作有《牡丹亭》、《邯郸记》、《南柯记》、《紫钗记》，合称《玉茗堂四梦》。汤显祖凭借《牡丹亭》等剧作成为中国文学史上和关汉卿、王实甫齐名的戏曲家。③霓：光在水雾中与虹同时出现的一种光散射现象，原理与虹相同，只是色彩排列与虹相反，色彩比虹淡，又称副虹。④壑：深的山谷。⑤悬飞：高飞。

［赏 析］

瀑布是特殊形态的水，从高处跌落，在视觉、听觉上都比平面流动的水更具独特的观赏价值。本诗描写石门瀑布远近高低的情态，视角或仰或俯，笔法直曲不拘，活泼灵动，确有独到之处。

前两句是诗人由远及近观察瀑布，所见各有不同。“似霓”、“若烟”两个比喻写出瀑布如虹霓般绚烂多彩，如烟似雾般亦真亦幻。诗人没有直接描述瀑布的情态，只是以飞溅的水雾从侧面反映瀑流之高长、瀑流之急，那响彻天地的轰然雷鸣声也自然包含在这霓烟般的水雾中了。后两句则是从高低两个视角直接描摹瀑布的飞泻之势。俯视看到瀑布飞流直下，仰视看到瀑布白练高悬，似有声的画。这两句诗使用了色彩的对比，苍翠的沟壑、青绿的田野衬托白色的瀑布，非常醒目。其实描写瀑布这种壮阔的景象只有化大为小，万象纳于心才能恰当把握。

诗人写石门泉，诗风清丽、视线跳跃、文笔简约，却能完整勾勒，这是诗人笔力使然。而将瀑布的飞泻之象巧妙地寓于形象的比喻之中，为本诗增添了许多亮色。

56. 浣花溪记[①](节选)

钟　惺[②]

出成都南门，左为万里桥，西折纤秀长曲[③]，所见如连环、如玦[④]、如带、如规[⑤]、如钩，色如鉴[⑥]、如琅玕[⑦]、如绿沉瓜[⑧]，窈然深碧[⑨]、潆洄城下者[⑩]，皆浣花溪委也[⑪]。然必至草堂[⑫]，而后浣花有专名，则以少陵浣花居在焉耳[⑬]。

行三四里为青羊宫，溪时远时近，竹柏苍然，隔岸阴森者尽溪，平望如荠[⑭]，水木清华[⑮]，神肤洞达[⑯]。自宫以西，流汇而桥者三，相距各不半里。舁夫云通灌县[⑰]，或所云"江从灌口来"是也[⑱]。

人家住溪左，则溪蔽不时见，稍断则复见溪，如是者数处，缚柴编竹[⑲]，颇有次第[⑳]。桥尽，一亭树道左，署曰"缘江路"。过此则武侯祠，祠前跨溪为板桥一，覆以水槛[㉑]，乃睹"浣花溪"题榜。过桥，一小洲横斜插水间如梭，溪周之，非桥不通，置亭其上，题曰"百花潭水"。……

［注 释］

①浣花溪：在成都市西南，现辟为五星级公园，附近有杜甫草堂、武侯祠、青羊宫等著名景点。②钟惺(1574—1624)，明代"竟陵派"作家，字伯敬，竟陵(今湖北天门)人。③纤秀长曲：(溪水)又曲又长，纤巧秀丽。④玦(jué)：似环而有缺口的玉佩。⑤规：本义为圆规，此处指像圆规画出的圆形。⑥鉴：镜子。⑦琅玕(láng gān)：美石名，有五色。诗人常以青琅玕比竹子。⑧绿沉瓜：一种深绿色的瓜。⑨窈然深碧：幽深而暗绿。⑩潆洄：萦绕回旋。⑪委：水流聚集。⑫草堂：即杜甫草堂。⑬少陵：杜甫的字。⑭荠：荠菜。⑮水木清华：水色清幽，树木秀丽。⑯神肤洞达：神清气爽，通达肌肤。⑰舁(yù)：抬。舁夫：轿夫。灌县：都江堰水利工程所在地，今为都江堰市。⑱江：即锦江。灌口：灌县古称灌口镇。⑲缚柴编竹：捆起柴或编起竹作门。⑳次第：一家挨着一家，很整齐。㉑水槛：桥上的栏杆。

［赏 析］

本篇游记写成都西南浣花溪一带的美丽景色，并赞赏杜甫于穷愁之中仍能择胜而居的安详心态。这里节选的是前半部分，以描绘浣花溪的秀雅风光为主。

作者笔下的浣花溪水，是具有鲜明美学风格的水形象，其突出特色是：第一，水形蜿蜒曲折。作者用了一连串比喻，形容溪水弯曲潆洄的形态。绿树掩映处，溪水时隐时现。在“线”状水的欣赏上，曲水比直水更有审美价值。第二，水色清幽秀丽。文中也用了许多比喻，描写浣花溪水温润幽碧的色彩。这样清澈碧绿的水，是令人愉悦的。第三，水岸为绿树人家，竹柏苍然，水木清华，居户柴扉竹门，于城市的繁华之中显现一派朴素安详的生活场景，与水之美互为映衬。第四，水中有沙洲，洲上有桥，建亭，体现了人对水环境的美化，使水上景物有了变化，增加了美的层次。

浣花溪，这有着美丽名字的清秀水体，像一条美丽的丝带，为成都这座古城增添了自然美和人文亮色。

57. 三游乌龙潭记[①]

谭元春[②]

予初游潭上，自旱西门左行城阴下[③]，芦苇成洲，隙中露潭影。七夕再来[④]，又见城端柳穷为竹[⑤]，竹穷皆芦，芦青青达于园林。

后五日，献孺招焉[⑥]。止生坐森阁未归，潘子景升、钟子伯敬由芦洲来，予与林氏兄弟由华林园、谢公墩取微径南来[⑦]，皆会于潭上。潭上者有灵，应观之。冈合陂陀[⑧]，木杪之水[⑨]，坠于潭，清凉一带[⑩]。从灌其后，与潭边人家，檐溜沟勺入浚潭中[⑪]，冬夏一深[⑫]。阁去潭虽三丈余，若在潭中立。筏行潭，无所不之[⑬]，反若住水轩[⑭]。潭以北，莲叶未败，方作秋香气，令筏先就之。又爱隔岸林木，有朱垣点深翠中[⑮]，令筏泊之。初上蒙翳[⑯]，忽复得路，登登至冈[⑰]。冈外野畴方塘[⑱]，远湖近圃，宋子指谓予曰[⑲]："此中深可住，若冈下结庐，辟一上山径，俯空杳之潭[⑳]，收前后之绿，天下升平，老此无憾矣。"已而茅子至[㉑]，又以告茅子。

是时残阳接月，晚霞四起，朱光下射，水地霞天。始犹红洲边，已而潭左方红，已而红在莲叶下起，已而尽潭皆赪[㉒]。明霞作底，五色忽复杂之。下冈寻筏，月已待我半潭。乃回篙泊新亭柳[㉓]，看月浮波际，金光数十道，如七夕电影[㉔]，柳丝垂垂拜月，无论明宵。诸君试思前番风雨乎[㉕]？相与上阁，周望不去。适有灯起荟蔚中[㉖]，殊可爱。或曰："此渔灯也。"

［注 释］

①乌龙潭：在今江苏南京城西清凉山侧，相传晋时有乌龙出现，遂得此名。现建有乌龙潭公园。②谭元春(1586—1637)，明代作家，字友夏，湖广竟陵(今湖北天门)人。与同邑钟惺创"竟陵派"。③旱西门：即清凉门，南京西城城门名。④七夕：农历七月初七，民间传说牛郎织女于此夜相会。⑤穷：尽，尽头。⑥献孺：姓宋，作者的朋友。以下还提到止生、潘子景升、钟

子伯敬、林氏兄弟诸人,皆为作者之友。止生:茅元仪,字止生,号石民,归安(今浙江湖州)人。潘子景升:潘之恒,字景升,号鸾啸生、冰华生等,歙县(今安徽歙县)人。钟子伯敬:即钟惺。林氏兄弟:即林楙(miào)和林古度。林楙,字子丘。林古度,字茂子,福清(今福建福清)人。皆能诗,久居金陵。⑦华林园:宫苑名。在今江苏南京鸡鸣山南古台城内。谢公墩:山名,在今江苏江宁县城北。晋谢安曾居半山,后宋王安石亦曾居此地。⑧陂陀(pō tuó):倾斜不平的样子。⑨杪(miǎo):树木的末梢。木杪:树梢,树端。⑩清凉:清爽凉快。⑪檐溜:屋檐下滴水处。沟勺:沟渠,小沟。浚:深。浚潭:深池。⑫一深:(冬夏的水)一样深。⑬之:到。⑭水轩:临水的亭阁。⑮朱垣:红色的墙。⑯蒙翳:指树木茂密覆盖的地方。⑰登登:象声词。⑱畤:田亩,已耕作的田地。⑲宋子:即宋献孺。⑳空杳:空远幽深。㉑茅子:即茅元仪。㉒赪:"赪"的俗体。赤色。㉓新亭:这里指茅元仪在乌龙潭上新建之亭。㉔电影:闪电的光影。作者在《再游乌龙潭记》中描述风雨雷电之景:"坐未定,雨飞自林端,盘旋不去,声落水上,不尽入潭。而如与潭击电与雷相后先,电尤奇幻,光煜煜入水中,深入丈尺,而吸其波光,以上于雨,作金银珠贝影,良久乃已。"㉕前番风雨:指作者在《再游乌龙潭记》中所描述的风雨来临之景。㉖荟蔚:草木繁盛的样子。这里作名词用,指密林丛草。

[赏析]

谭元春游乌龙潭记共三篇,第一篇写潭的优美环境,第二篇写潭的夏季景色,本篇写潭的秋季景色。在本文中,乌龙潭的景色被作者描绘得幽深奇幻、模糊恍惚,表现出一种神秘之美、朦胧之美。文章是通过以下两个途径

来实现这种美学效果的:一是以潭为中心,写潭的周边景物;另一个途径是写潭水在霞光、月光映照之下变化多端的景象。前者似乎不是直接写水,但若细细品读文章有关内容,很容易就能发现,作者所写各色景物,无不与潭

水密切相关。且作者写景之次序，也因潭水而定：木杪之水坠于潭，檐溜沟勺入于潭，楼阁若在水中立，潭北莲叶方作秋香气，隔岸深翠之中透出朱垣，甚至也包括文章开头“芦苇隙中露潭影”这样颇富意境的画面，诸多细节，整合为一，使乌龙潭的秋景呈朦胧之态。就后一个途径而言，作者扣住“水”的反射特征，将潭水在霞光和月光下的变幻非常从容地描述出来，观察细致，写景时极富层次感和色彩感，文字简练但表达不乏力度。作者先作概括性地描述，“残阳接月，晚霞四起，朱光下射，水地霞天”；接着按时间顺序写潭水的光影变化：红洲边→潭左方红→红在莲叶下起→尽潭皆赪→明霞作底，五色忽复杂之→月浮波际，金光数十道，如七夕电影。一幅幅画面，流光溢彩，在读者眼前流动变换，使本文所写的潭水蒙上了一层奇幻的、绚丽的色调。

58. 剡溪[1]

王思任[2]

浮曹娥江上，铁面横波[3]，终不快意。将至三界址[4]，江色狎人[5]，渔火村灯，与白日相上下；沙明山静，犬吠声若豹，不自知身在板桐也[6]。昧爽[7]，过清风岭[8]，是溪江交代处[9]，不及一唁贞魂[10]。山高岸束[11]，斐绿叠丹[12]，摇舟听鸟，杳小清绝，每奏一音，则千峦啁答[13]。秋冬之际，想更难为怀[14]。不识吾家子猷何故兴尽雪溪[15]？无妨子猷，然大不堪戴[16]。文人薄行[17]，往往借他人爽厉心脾[18]，岂其可！过画图山[19]，是一兰苕盆景[20]。自此万壑相招赴海，如群诸侯敲玉鸣裾[21]。逼折久之[22]，始得豁眼一放地步。山城崖立[23]，晚市人稀，水口有壮台作砥柱[24]，力脱帻往登[25]，凉风大饱。城南百丈桥翼然虹饮[26]，溪逗其下[27]，电流雷语。移舟桥尾，向月碛枕漱取甜[28]，而舟子以为何不傍彼岸，方喃喃怪事我也[29]。

［注 释］

①剡(shàn)溪：在浙江嵊州，即曹娥江上游。曹娥为东汉时孝女，为了捞出淹死在江中的父亲尸体，在岸边哭了七天七夜，后来跳入江里，五天后抱着父亲尸体浮出江面。江因此而得名。②王思任(1574—1646)，明代文学家，字季重，号谑庵，浙江山阴(今绍兴)人。③铁面：比喻江水平滞呆板，了无生趣。④三界：即嵊县北端的三界镇，位于剡溪西岸，是嵊县、绍兴、上虞三县交界处。⑤狎人：迷人。⑥板桐：做船用的木板和漆料，代指船。⑦昧爽：黑夜与黎明交错之时。昧，暗。爽，明。⑧清风岭：在嵊县北四十里，旧名青枫岭，悬岩峭壁，下瞰剡溪。宋临海王烈妇为元兵所掠，至岭，咬破手指以血题诗岩石，投崖死。血渍入石，天阴雨，坟起如新。后人作亭，易名“清风”以纪念她。⑨交代处：指剡溪与曹娥江交接处。⑩唁：凭吊。贞魂：贞女之魂，指誓死不受元兵侮辱的王烈妇。⑪山高岸束：两岸危石高耸，一水从中穿过。⑫斐绿叠丹：江岸绿树与红花交错叠映。⑬啁(jiū)：回应。

⑭更难为怀：更难忘却。⑮子猷：东晋书法家王徽之的字，作者与王徽之同姓，故称其为“吾家”。《世说新语》记载，王徽之家居山阴，冬夜大雪，想起住在剡溪的好友戴安道，便连夜乘船前往，但到了戴的住处，却掉头而返，人问其故，回答：“吾本乘兴而行，兴尽而返，何必见戴？”⑯这两句是说，雪夜的剡溪不能妨碍王徽之的率性行事，然而对于戴安道来说则大为不堪了。⑰文人薄行：对王子猷的放任行为，表现出很不以为然的批判态度。⑱爽厉：爽利，爽快。这句是说常常借别人名声以逞自己的兴致。⑲画图山：据《嵊县志》卷一中记载“在县北三十里，从花山左出，高可十数丈，俯临江上，岑峦叠峭，苔藓斑斓，古薜幽松，参差相间。嵊多怪石，画图尤胜，宛然小李将军劈皴也。”⑳兰苕(tiáo)：兰草，兰花。㉑敲玉鸣裾：古代诸侯穿着礼服走动时，衣裾上佩挂的玉器相互碰撞发出声响。㉒逼折久之：经过许多曲折的行程。㉓山城：指嵊县县城。㉔壮台：坚实的石台。㉕帻(zì)：头巾。㉖翼然：形容桥如生翼，具飞动之势。虹饮：形容桥如彩虹，两端像是低头饮水。㉗逗：止，留。㉘向月碛枕漱取甜：在月下的沙滩上俯仰洗漱。碛(qì)：沙石积成的浅滩。枕漱：即枕石漱流，枕着沙石睡觉，用流水漱口，是古时想隐居者所向往的生活情态。㉙喃喃：唠叨的样子。怪事我：责怪我多事。

［赏 析］

从“浮曹娥江上”启笔，点明舟行所在，但江水板滞，使作者了无兴致，“铁面横波，终不快意”两句，带有阴郁的主观色彩。而船近三界址，江上夜景迷人，作者心境为之一变，水中明亮的渔火、岸上明亮的村灯、江边明净的沙滩、远处静谧的山影和附近声响如豹的犬吠，让作者沉浸在美好的夜色里。

过清风岭后是白天，时易而景迁，情亦随景变。作者以彩笔勾勒春日溪江的秀丽景色，先写高山夹岸，束缚江流，江岸上绿树与红花交错叠映的视觉感受，再写鸟鸣清绝、千山回应的听觉感受，一句“摇舟听鸟”，把乘坐的木舟、舟子的动作和自己的情态融入山水画面之中，别有韵味。而接下来作者就与剡溪有关的古人逸事抒发感慨，斥责“文人薄行”，借题发挥，情中显理，表现出作者的个性和人品。

第三层次写登水口砥柱的感受和山城晚景，重点描述城南百丈桥“翼然虹饮，溪逗其下，电流雷语”的景致，声形兼备。结尾处则对舟子唠叨“怪事我”的情态作简洁生动的刻画，既反衬了作者品味山水的意趣和雅洁的心胸，又呼应全文，令人回味无穷。

59. 记九溪十八涧[①]

林 纾[②]

过龙井山数里[③]，溪色澄然迎面[④]，九溪之北流也。溪发源于杨梅坞[⑤]，余之溯溪，则自龙井始。

溪流道万山中，山不峭而堑[⑥]，踵趾错互[⑦]，苍碧莫辨途径。沿溪取道，东瞥西匿[⑧]，前若有阻而旋得路。水之未入溪号皆曰涧，涧以十八，数倍于九也。

余遇涧即止。过涧之水，必有大石亘其流，水石冲激，蒲藻交舞。溪身广四五尺，浅者沮洳[⑨]，由草中行；其稍深者，虽渟蓄犹见沙石[⑩]。

其山多茶树，多枫叶，多松。过小石桥，向理安寺路[⑪]，石犹诡异。春箨始解[⑫]，攒动岩顶，如老人晞发[⑬]。怪石折叠，隐起山腹，若橱，若几，若函书状[⑭]。即林表望之[⑮]，滃然带云气[⑯]。杜鹃作花，点缀山路，岩日翳吐[⑰]，出山已亭午矣。

时光绪己亥三月六日[⑱]。同游者：达县吴小村、长乐高凤歧、钱塘邵伯絅。

[注 释]

①九溪：在杭州烟霞岭西南，其支流为十八涧。②林纾(1852—1924)，近代文学家。字琴南，号畏庐、冷红生，福建闽侯(今福州)人。光绪举人，任教于京师大学堂。曾依靠他人口述，用古文翻译欧美等国小说一百七十余种。③龙井山：在浙江杭州西湖西南，出产名茶龙井茶。④澄然：水流清凉澄澈的样子。⑤杨梅坞：地名，在烟霞岭西南，因产杨梅，故名。⑥不峭而堑：不陡峭而多山沟。堑：濠沟，这里指山中沟壑。⑦踵趾错互：形容山脚纵横交错。⑧东瞥西匿：形容路径若隐若现的样子。⑨沮洳(jù rù)：泥沼，湿地。⑩渟(tíng)蓄：水积聚而不流。⑪理安寺：在九溪东北岸理安山麓，原名法雨寺，宋理宗改题理安寺。⑫箨(tuò)：竹笋皮，春天开始脱落。⑬晞(xī)

发：晾干头发。⑭函：古书的封套。⑮林表：林外。⑯滃（wěng）然：形容水盛。⑰岩日翳吐：太阳从山岩间露出。⑱光绪己亥：光绪二十五年（1899年）。

［赏析］

“山川之美，古来共谈”是我们民族崇尚山水自然美的真实写照。杭州秀丽的山水景色，历来吸引着无数文人墨客去寻幽探访，并留下了许多佳作。林纾的这篇散文小品，以简洁的笔触，对九溪十八涧的景物作了生动描述，使这一清奇优美的自然风景展现在读者眼前，如同一幅浓淡适宜、神趣俱出的山水画。文章在写作上有三个显著的特点：

一是以时为序，层次分明。作品由入山写起，到出山结束，紧扣九溪十八涧溪涧交错、峰回路转、幽邃秀丽的自然特征，以山石的嵚崎、草木的苍碧，烘托忽隐忽现的溪流，层层转折，处处异彩，移步换景，引人入胜，鲜明地描摹出“山重水复疑无路，柳暗花明又一村”的意境美。

二是全用白描，笔法多变。为了突出景物的特征，文章巧用比喻、拟人手法，随物赋形，如以“踵趾错互”形容山脚纵横交错，以“东瞥西匿”表现路径的去向无常，以“老人晞发”刻画攒动岩顶的春笋，都生动形象，且带有动感；而“怪石折叠，隐起山腹，若橱，若几，若函书状”则兼用比喻、排比，描绘静态的景物。全篇静动互衬，有形有声，意象鲜明。

三是文笔古雅，辞简韵永。作者文崇韩愈、柳宗元，曾以“桐城派”自居，而这篇文章也体现出桐城派古文清淡简朴的风格特征。作品语句简短，多用四字句摹景状物，声韵和谐，富有节奏，又掺用其他句式，避免了单一呆板。像“杜鹃作花，点缀山路，岩日翳吐，出山已亭午矣”，不但用字精练，而且句式错落有致，读来清新流畅，全无雕琢痕迹。

60. 小河

周作人①

有人问,我这诗是什么体,连自己也回答不出。法国波特来尔(Baudelaire)提倡起来的散文诗,略略相像,不过他用的是散文格式,现在却一行一行的分写了。内容大致仿那欧洲的俗歌;俗歌本来最要叶韵,现在却无韵。或者算不得诗,也未可知;但这是没有什么关系。

一条小河,稳稳的向前流动。
经过的地方,两面全是乌黑的土,
生满了红的花,碧绿的叶,黄的果实。
一个农夫背了锄来,在小河中间筑起一道堰,
下流干了;上流的水,被堰拦着,下来不得;
不得前进,又不能退回,水只在堰前乱转。
水要保他的生命,总须流动,便只在堰前乱转。
堰下的土,逐渐淘去,成了深潭。
水也不怨这堰——便只是想流动,
想同从前一般,稳稳的向前流动。
一日农夫又来,土堰外筑起一道石堰。
土堰坍了;水冲着坚固的石堰,还只是乱转。

堰外田里的稻,听着水声,皱眉说道,——
"我是一株稻,是一株可怜的小草,
我喜欢水来润泽我,
却怕他在我身上流过。
小河的水是我的好朋友,
他曾经稳稳的流过我面前,

我对他点头，他向我微笑，
我愿他能够放出了石堰，
仍然稳稳的流着，
向我们微笑：
曲曲折折的尽量向前流着，
经过的两面地方，都变成一片锦绣。
他本是我的好朋友，
只怕他如今不认识我了；
他在地底里呻吟，
听去虽然微细，却又如何可怕！
这不像我朋友平日的声音，
被轻风挽着走上沙滩来时，
快活的声音。
我只怕这回出来的时候，——
不认识从前的朋友了，
便在我身上大踏步过去：
我所以正在这里忧虑。”

田边的桑树，也摇头说，——
“我生的高，能望见那小河，——
他是我的好朋友，
他送清水给我喝，
使我能生肥绿的叶，紫红的桑椹。——
他从前清澈的颜色，
现在变了青黑；
又是终年挣扎，脸上添出许多痉挛的皱纹。
他只向下钻，早没工夫对了我的点头微笑，
堰下的潭，深过了我的根了。
我生在小河旁边，
夏天晒不枯我的枝条，
冬天冻不坏我的根，

如今只怕我的好朋友，
将我带倒在沙滩上，
拌着他卷来的水草。
我可怜我的好朋友，
但实在也为我自己着急。”
田里的草和虾蟆，听了两个的话，
也都叹气，各有他们自己的心事。
水只在堰前乱转；
坚固的石堰，还是一毫不摇动。
筑堰的人，不知到那里去了。

［注释］

①周作人(1885—1967)，字启明，号知堂，浙江绍兴人，鲁迅之弟，著名文艺理论家和散文家。

［赏析］

《小河》创作于1919年，其时白话诗写作刚刚起步，《小河》一诗以其丰富的意蕴引起了广泛关注，胡适称其为“新诗中的第一首杰作”(胡适《谈新诗》)。该诗多用口语，文字朴素、亲切，长于叙事而短于抒情，所以给读者的第一印象可能是平淡无奇，但细细品读，却不难感知“小河”这一象征物的深层内涵。

在诗歌一开始，作者就将“小河”置于困境之下——小河原本是“稳稳的向前流动”的，两岸是“红的花，碧绿的叶，黄的果实”，一派生机与祥和。但这个时候却来了一个背锄的农夫，在小河中间筑起一道堰，河水受到阻碍，前进不得，只有不断地对堰展开冲击，才能寻得出路，然而阻碍是巨大的——土堰坍了，还有石堰。周作人在“五四”时期大力提倡人道主义，在人道主义者看来，人的本性不应受到压抑，就像河水不应受到阻碍一样。如有压抑和阻碍，当尽力排除，而排除的目的也只是为了解放本性，并不是为了损害他人，如诗中所写：“水也不怨这堰——便只是想流动，想同从前一般，稳稳的向前流动。”

诗歌第一节是以诗人的视角来叙事的，但从第二节开始直到结尾，作者本人从诗歌中退场，叙事视角转变为小河周围的事物——稻、桑、草和虾蟆，作者基于这些事物各自的处境，模仿它们的语气，以对话的方式将它们对小河受阻的复杂情感表达出来。它们的生命与小河有着紧密的关联，它们感念着小河的浇灌之恩，对小河受阻抱以极大的同情，但更多的却是对自身命运的忧虑和恐惧：稻听见了水可怕的呻吟声，桑害怕水将自己带倒在沙滩上，草和虾蟆也都是心事重重。这是因为，小河在被压抑的同时，也在积聚力量，一旦冲开石堰，将会产生极大的破坏力，给小河周围的事物带来毁灭性的后果。

周作人显然对“水”之本质有着深刻的理解：水是流动的，如果合理地疏导，它会带来利益与和谐；反之，一旦流动受阻，就会产生可怕的破坏力。因此，本诗中的“小河”形象具有多重意蕴，读者可以从中获得启迪。

61. 威尼斯[①]

朱自清

威尼斯(Venice)是一个别致地方。出了火车站,你立刻便会觉得,这里没有汽车,要到那儿,不是搭小火轮,便是雇"刚朵拉"(Gondola)。大运河穿过威尼斯像反写的S;这就是大街。另有小河道四百十八条,这些就是小胡同。轮船像公共汽车,在大街上走;"刚朵拉"是一种摇橹的小船,威尼斯所特有,它哪儿都去。威尼斯并非没有桥;三百七十八座,有的是。只要不怕转弯抹角,哪儿都走得到,用不着下河去。可是轮船中人还是很多,"刚朵拉"的买卖也似乎并不坏。

威尼斯是"海中的城",在意大利半岛的东北角上,是一群小岛,外面一道沙堤隔开亚得利亚海。在圣马克方场的钟楼上看,团花簇锦似的东一块西一块在绿波里荡漾着。远处是水天相接,一片茫茫。这里没有什么煤烟,天空干干净净;在温和的日光中,一切像透明的。中国人到此,仿佛在江南的水乡;夏初从欧洲北部来的,在这儿还可看见清清楚楚的春天的背影。海水那么绿,那么酽[②],会带你到梦中去。

威尼斯不单是明媚,在圣马克方场走走就知道。这个方场南面临着一道运河;场中偏东南便是那可以望远的钟楼。威尼斯最热闹的地方是这儿,最华妙庄严的地方也是这儿。除了西边,围着的都是三百年以上的建筑,东边居中是圣马克堂,却有了八九百年——钟楼便在它的右首。再向右是"新衙门";教堂左首是"老衙门"。这两溜儿楼房的下一层,现在满开了铺子。铺子前面是长廊,一天到晚是来来去去的人。紧接着教堂,直伸向运河去的是公爷府;这个一半属于小方场,另一半便属于运河了。

圣马克堂是方场的主人,建筑在十一世纪,原是卑赞廷式[③],以直线为

主。十四世纪加上戈昔式的装饰,如尖拱门等④;十七世纪又参入文艺复兴期的装饰,如栏杆等。所以庄严华妙,兼而有之;这正是威尼斯人的漂亮劲儿。教堂里屋顶与墙壁上满是碎玻璃嵌成的画,大概是真金色的地,蓝色和红色的圣灵像。这些像做得非常肃穆。教堂的地是用大理石铺的,颜色花样种种不同。在那种空阔阴暗的氛围中,你觉得伟丽,也觉得森严。教堂左右那两溜儿楼房,式样各别,并不对称;钟楼高三百二十二英尺,也偏在一边儿。但这两溜房子都是三层,都有许多拱门,恰与教堂的门面与圆顶相称;又都是白石造成,越衬出教堂的金碧辉煌来。教堂右边是向运河去的路,是一个小方场,本来显得空阔些,钟楼恰好填了这个空子。好像我们戏里大将出场,后面一杆旗子总是偏着取势;这方场中的建筑,节奏其实是和谐不过的。十八世纪意大利卡那来陀(Canaletto)一派画家专画威尼斯的建筑,取材于这方场的很多。德国德莱司敦画院中有几张,真好。

公爷府里有好些名人的壁画和屋顶画,丁陶来陀(Tindtoretto,十六世纪)的大画《乐园》最著名;但更重要的是它建筑的价值。运河上有了这所房子,增加了不少颜色。这全然是戈昔式;动工在九世纪初,以后屡次遭火,屡次重修,现在据说还是原来的式样。最好看的是它的西南两面;西面斜对着圣马克方场,南面正在运河上。在运河里看,真像在画中。它也是三层:下两层是尖拱门,一眼看去,无数的柱子。最下层的拱门简单疏阔,是载重的样子;上一层便繁密得多,为装饰之用;最上层却更简单,一根柱子没有,除了疏疏落落的窗和门之外,都是整块的墙面。墙面上用白的与玫瑰红的大理石砌成素朴的方纹,在日光里鲜明得像少女一般。威尼斯人真不愧着色的能手。这所房子从运河中看,好像在水里。下两层是玲珑的架子,上一层才是屋子;这是很巧的结构,加上那艳而雅的颜色,令人有惝恍迷离之感。府后有太息桥;从前一边是监狱,一边是法院,狱囚提讯须过这里,所以得名。拜伦诗中曾咏此,因而便脍炙人口起来,其实也只是近世的东西。

威尼斯的夜曲是很著名的。夜曲本是一种抒情的曲子,夜晚在人家窗下随便唱。可是运河里也有:晚上在圣马克方场的河边上,看见河中有红绿的纸球灯,便是唱夜曲的船。雇了“刚朵拉”摇过去,靠着那个船停下,船在

水中间，两边挨次排着“刚朵拉”，在微波里荡着，像是两只翅膀。唱曲的有男有女，围着一张桌子坐，轮到了便站起来唱，旁边有音乐和着。曲词自然是意大利语，意大利的语音据说最纯粹，最清朗。听起来似乎的确斩截些，女人的尤其如此——意大利的歌女是出名的。音乐节奏繁密，声情热烈，想来是最流行的“爵士乐”。在微微摇摆地红绿灯球底下，颤着酽酽的歌喉，运河上一片朦胧的夜也似乎透出玫瑰红的样子。唱完几曲之后，船上有人跨过来，反拿着帽子收钱，多少随意。不愿意听了，还可摇到第二处去。这个略略像当年的秦淮河的光景，但秦淮河却热闹得多。

从圣马克方场向西北去，有两个教堂在艺术上是很重要的。一个是圣罗珂堂，旁边有一所屋子，墙上屋顶上满是画；楼上下大小三间屋，共六十二幅画，是丁陶来陀的手笔。屋里暗极，只有早晨看得清楚。丁陶来陀作画时，因地制宜，大部分只粗粗勾勒，利用阴影，教人看了觉得是几经琢磨似的。《十字架》一幅在楼上小屋内，力量最雄厚。佛拉利堂在圣罗珂近旁，有大画家铁沁（Titian，十六世纪）和近代雕刻家卡奴洼（Canova）的纪念碑。卡奴洼的，灵巧，是自己打的样子；铁沁的，宏壮，是十九世纪中叶才完成的。他的《圣处女升天图》挂在神坛后面，那朱红与亮蓝两种颜色鲜明极了，全幅气韵流动，如风行水上。倍里尼（Giovanni Bellini，十五世纪）的《圣母像》，也是他的精品。他们都还有别的画在这个教堂里。

从圣马克方场沿河直向东去，有一处公园；从一八九五年起，每两年在此地开国际艺术展览会一次。今年是第十八届；加入展览的有意，荷，比，西，丹，法，英，奥，苏俄，美，匈，瑞士，波兰等十三国，意大利的东西自然最多，种类繁极了；未来派立体派的图画雕刻，都可见到，还有别的许多新奇的作品，说不出路数。颜色大概鲜明，教人眼睛发亮；建筑也是新式，简洁不罗嗦，痛快之至。苏俄的作品不多，大概是工农生活的表现，兼有沉毅和高兴的调子。他们也用鲜明的颜色，但显然没有很费心思在艺术上，作风老老实实，并不向牛犄角里寻找新奇的玩意儿。

威尼斯的玻璃器皿，刻花皮件，都是名产，以典丽风华胜，缂丝也不错⑤。大理石小雕像，是著名大品的缩本，出于名手的还有味。

[注 释]

①本文选自朱自清《欧游杂记》。威尼斯:意大利东北部城市,亚得里亚海西北岸重要港口。市区建于离陆地4公里的泻湖中、100多个小岛上,有177条水道贯通其间。市内有400座桥梁相连,以舟代车,有“水上城市”之称。公元6世纪兴建,有古老的圣马可方场和总督府、钟楼和大教堂等著名建筑物。②酽(yàn):浓,味厚。③卑赞廷:现译拜占庭,即东罗马帝国。④戈昔式:现译为哥特式。哥特式艺术是12世纪至16世纪初期欧洲出现的一种以新型建筑为主的艺术形式,还包括雕塑、绘画和工艺美术。⑤缂(kè)丝:我国特有的一种丝织工艺。

[赏 析]

1932年,朱自清赴欧洲游历考察,写成散文集《欧游杂记》,《威尼斯》是其中一篇。威尼斯是世界水文化的奇观,也是享誉世界的建筑之城、音乐之城、绘画雕刻艺术之城。这篇散文紧扣威尼斯的“水城”特色,以生动的笔触描述该城的人文景观,展现其深厚的艺术传统,让读者感受威尼斯特有的魅力。

作品开头便以作为这个城市主要交通工具的小火轮和小船,突出威尼斯水路四通八达的地理环境,而把穿过城区的大运河比作大街,把众多的小河道比作小胡同。把轮船比作公共汽车,则更进一步显示水的存在、水的氛围。接着用优美的抒情笔调写威尼斯与中国江南水乡相似的自然环境——小岛、沙堤、绿波、蓝天,一切都是那么清新、明丽、亲切。这是作品着重表现的一个方面。

作品着重表现的另一个方面是威尼斯辉煌的文化艺术成就。作者以自己的游踪为线索,依次描述临水的圣马克方场的教堂、钟楼“华妙庄严”的建筑之美,公爷府诸多装饰墙面的色彩之美,水城随处可闻的意大利夜曲的音乐之美,教堂里和公园内的绘画、雕刻的造型之美,而这一切都是一个来自中国江南水乡的游客的所见所闻。作品融描写、叙述、介绍、感受于一体,语言洗练,文笔秀丽,细致入微。

62. 桨声灯影里的秦淮河[①]

俞平伯

我们消受得秦淮河上的灯影，当圆月犹皎的仲夏之夜。

在茶店里吃了一盘豆腐干丝，两个烧饼之后，以歪歪的脚步踅上夫子庙前停泊着的画舫，就懒洋洋躺到藤椅上去了。好郁蒸的江南，傍晚也还是热的。“快开船罢！”桨声响了。

小的灯舫初次在河中荡漾；于我，情景是颇朦胧，滋味是怪羞涩的。我要错认它作七里的山塘；可是，河房里明窗洞启，映着玲珑入画的曲栏干，顿然省得身在何处了。佩弦呢，他已是重来，很应当消释一些迷惘的。但看他太频繁地摇着我的黑纸扇。胖子是这个样怯热的吗？

又早是夕阳西下，河上妆成一抹胭脂的薄媚。是被青溪的姊妹们所薰染的吗？还是匀得她们脸上的残脂呢？寂寂的河水，随双桨打它，终是没言语。密匝匝的绮恨逐老去的年华，已都如蜜饧似的融在流波的心窝里，连呜咽也将嫌它多事，更哪里论到哀嘶。心头，宛转的凄怀；口内，徘徊的低唱；留在夜夜的秦淮河上。

在利涉桥边买了一匣烟，荡过东关头，渐荡出大中桥了。船儿悄悄地穿出连环着的三个壮阔的涵洞，青溪夏夜的韶华已如巨幅的画豁然而抖落。哦！凄厉而繁的弦索，颤岔而涩的歌喉，杂着吓哈的笑语声，劈拍的竹牌响，更能把诸楼船上的华灯彩绘，显出火样的鲜明，火样的温煦了。小船儿载着我们，在大船缝里挤着，挨着，抹着走。它忘了自己也是今宵河上的一星灯火。

既踏进所谓“六朝金粉气”的销金锅，谁不笑笑呢！今天的一晚，且默了滔滔的言说，且舒了恻恻的情怀，暂且学着，姑且学着我们平时认为在醉里梦里的他们的憨痴笑语。看！初上的灯儿们一点点掠剪柔腻的波心，梭织地往来，把河水都皴得微明了。纸薄的心旌，我的，尽无休息地跟着它们飘荡，以致于怦怦而内热。这还好说什么的！如此说，诱惑是诚然有的，且于我已留下不易磨灭的印记。至于对榻的那一位先生，自认曾经一度摆脱了

纠缠的他，其辨解又在何处？这实在非我所知。

我们，醉不以涩味的酒，以微漾着、轻晕着的夜的风华。不是什么欣悦，不是什么慰藉，只感到一种怪陌生、怪异样的朦胧。朦胧之中似乎胎孕着一个如花的笑——这么淡、那么淡的倩笑。淡到已不可说，已不可拟，且已不可想；但我们终久是眩晕在它离合的神光之下的。我们没法使人信它是有，我们不信它是没有。勉强哲学地说，这或近于佛家的所谓“空”，既不当鲁莽说它是“无”，也不能径直说它是“有”。或者说“有”是有的，只因无可比拟形容那“有”的光景；故从表面看，与“没有”似不生分别。若定要我再说得具体些：譬如东风初劲时，直上高翔的纸鸢，牵线的那人儿自然远得很了，知她是那一家呢？但凭那鸢尾一缕飘绵的彩线，便容易揣知下面的人寰中，必有微红的一双素手，卷起轻绡的广袖，牢担荷小纸鸢儿的命根的。飘翔岂不是东风的力，又岂不是纸鸢的含德；但其根株却将另有所寄。请问，这和纸鸢的省悟与否有何关系？故我们不能认笑是非有，也不能认朦胧即是笑。我们定应当如此说，朦胧里胎孕着一个如花的幻笑，和朦胧又互相混融着的；因它本来是淡极了，淡极了这么一个。

漫题那些纷烦的话，船儿已将泊在灯火的丛中去了。对岸有盏跳动的汽油灯，佩弦便硬说它远不如微黄的灯火。我简直没法和他分证那是非。

时有小小的艇子急忙忙打桨，向灯影的密流里横冲直撞。冷静孤独的油灯映见黯淡久的画船头上，秦淮河姑娘们的靓妆。茉莉的香，白兰花的香，脂粉的香，纱衣裳的香……微波泛滥出甜的暗香，随着她们那些船儿荡，随着我们这船儿荡，随着大大小小一切的船儿荡。有的互相笑语，有的默然不响，有的衬着胡琴亮着嗓子唱。一个，三两个，五六七个，比肩坐在船头的两旁，也无非多添些淡薄的影儿葬在我们的心上——太过火了，不至于罢，早消失在我们的眼皮上。谁都是这样急忙忙的打着桨，谁都是这样向灯影的密流里冲着撞；又何况久沉沦的她们，又何况飘泊惯的我们俩。当时浅浅的醉，今朝空空的惆怅；老实说，咱们萍泛的绮思不过如此而已，至多也不过如此而已。你且别讲，你且别想！这无非是梦中的电光，这无非是无明的幻相，这无非是以零星的火种微炎在大欲的根苗上。扮戏的咱们，散了场一个样，然而，上场锣，下场锣，天天忙，人人忙。看！吓！载送女郎的艇子才过

去，货郎担的小船不是又来了？一盏小煤油灯，一舱的什物，他也忙得来像手里的摇铃，这样丁冬而郎当。

杨枝绿影下有条华灯璀璨的彩舫在那边停泊。我们那船不禁也依傍短柳的腰肢，欹侧地歇了。游客们的大船，歌女们的艇子，靠着。唱的拉着嗓子；听的歪着头，斜着眼，有的甚至于跳过她们的船头。如那时有严重些的声音，必然说："这哪里是什么旖旎风光！"咱们真是不知道，只模糊地觉着在秦淮河船上板起方正的脸是怪不好意思的。咱们本是在旅馆里，为什么不早早入睡，掂着牙儿，领略那"卧后清宵细细长"；而偏这样急急忙忙跑到河上来无聊浪荡？

还说那时的话，从杨柳枝的乱鬓里所得的境界，照规矩，外带三分风华的。况且今宵此地，动荡着有灯火的明姿。况且今宵此地，又是圆月欲缺未缺，欲上未上的黄昏时候。叮当的小锣，伊轧的胡琴，沉填的大鼓……弦吹声腾沸遍了三里的秦淮河。喳喳嚷嚷的一片，分不出谁是谁，分不出那儿是那儿，只有整个的繁喧来把我们包填。仿佛都抢着说笑，这儿夜夜尽是如此的，不过初上城的乡下老是第一次呢。真是乡下人，真是第一次。

穿花胡蝶样的小艇子多倒不和我们相干。货郎担式的船，曾以一瓶汽水之故而拢近来，这是真的。至于她们呢，即使偶然灯影相偎而切掠过去，也无非瞧见我们微红的脸罢了，不见得有什么别的。可是，夸口早哩！——来了，竟向我们来了！不但是近，且拢着了。船头傍着，船尾也傍着；这不但是拢着，且并着了。厮并着倒还不很要紧，且有人扑冬地跨上我们的船头了。这岂不大吃一惊！幸而来的不是姑娘们，还好。（她们正冷冰冰地在那船头上。）来人年纪并不大，神气倒怪狡猾，把一扣破烂的手折，摊在我们眼前，让细瞧那些戏目，好好儿点个唱。他说："先生，这是小意思。"诸君，读者，怎么办？

好，自命为超然派的来看榜样！两船挨着，灯光愈皎，见佩弦的脸又红起来了。那时的我是否也这样？这当转问他。（我希望我的镜子不要过于给我下不去。）老是红着脸终久不能打发人家走路的，所以想个法子在当时是很必要。说来也好笑，我的老调是一味的默，或干脆说个"不"，或者摇摇头，摆摆手表示"决不"。如今都已使尽了。佩弦便进了一步，他嫌我的方术

太冷漠了，又未必中用，摆脱纠缠的正当道路惟有辩解。好吗！听他说："你不知道？这事我们是不能做的。"这是诸辩解中最简洁，最漂亮的一个。可惜他所说的"不知道？"来人倒真有些"不知道！"辜负了这二十分聪明的反语。他想得有理由，你们为什么不能做这事呢？因这"为什么？"佩弦又有进一层的曲解。那知道更坏事，竟只博得那些船上人的一哂而去。他们平常虽不以聪明名家，但今晚却又怪聪明，如洞彻我们的肺肝一样的。这故事即我情愿讲给诸君听，怕有人未必愿意哩。"算了罢，就是这样算了罢！"恕我不再写下了，以外的让他自己说。

叙述只是如此，其实那时连翩而来的，我记得至少也有三五次。我们把它们一个一个的打发走路。但走的是走了，来的还正来。我们可以使它们走，我们不能禁止它们来。我们虽不轻被摇撼，但已有一点杌陧了。况且小艇上总载去一半的失望和一半的轻蔑，在桨声里仿佛狠狠地说，"都是呆子，都是吝啬鬼！"还有我们的船家(姑娘们卖个唱，他可以赚几个子的佣金。)眼看她们一个一个的去远了，呆呆的蹲踞着，怪无聊赖似的。碰着了这种外缘，无怒亦无哀，惟有一种情意的紧张，使我们从颓弛中体会出挣扎来。这味道倒许很真切的，只恐怕不易为倦鸦似的人们所喜。

曾游过秦淮河的到底乖些。佩弦告船家："我们多给你酒钱，把船摇开，别让他们来罗嗦。"自此以后，桨声复响，还我以平静了，我们俩又渐渐无拘无束舒服起来，又滔滔不断地来谈谈方才的经过。今儿是算怎么一回事？我们齐声说，欲的胎动无可疑的。正如水见波痕轻婉已极，与未波时究不相类。微醉的我们，洪醉的他们，深浅虽不同，却同为一醉。接着来了第二问，既自认有欲的微炎，为什么艇子来时又羞涩地躲了呢？在这儿，答语参差着。佩弦说他的是一种暗昧的道德意味，我说是一种似较淡沉的眷爱。我只背诵岂明君的几句诗给佩弦听，望他曲喻我的心胸。可恨他今天似乎有些发钝，反而追着问我。

前面已是复成桥。青溪之东，暗碧的树梢上面微耀着一桁的清光。我们的船就缚在枯柳桩边待月。其时河心里晃荡着的，河岸头歇泊着的各式灯船，望去，少说点也有十廿来只。惟不觉繁喧，只添我们以幽甜。虽同是灯船，虽同是秦淮，虽同是我们；却是灯影淡了，河水静了，我们倦了，——况且月儿将上了。灯影里的昏黄，和月下灯影里的昏黄原是不相似的，又何况

入倦的眼中所见的昏黄呢。灯光所以映她的秾姿,月光所以洗她的秀骨,以蓬腾的心焰跳舞她的盛年,以饧涩的眼波供养她的迟暮。必如此,才会有圆足的醉,圆足的恋,圆足的颓弛,成熟了我们的心田。

犹未下弦,一丸鹅蛋似的月,被纤柔的云丝们簇拥上了一碧的遥天。冉冉地行来,冷冷地照着秦淮。我们已打桨而徐归了。归途的感念,这一个黄昏里,心和境的交萦互染,其繁密殊超我们的言说。主心主物的哲思,依我外行人看,实在把事情说得太嫌简单,太嫌容易,太嫌分明了。实有的只是浑然之感。就论这一次秦淮夜泛罢,从来处来,从去处去,分析其间的成因自然亦是可能;不过求得圆满足尽的解析,使片段的因子们合拢来代替刹那间所体验的实有,这个我觉得有点不可能,至少于现在的我们是如此的。凡上所叙,请读者们只看作我归来后,回忆中所偶然留下的千百分之一二,微薄的残影。若所谓"当时之感",我决不敢望诸君能在此中窥得。即我自己虽正在这儿执笔构思,实在也无从重新体验出那时的情景。说老实话,我所有的只是忆。我告诸君的只是忆中的秦淮夜泛。至于说到那"当时之感",这应当去请教当时的我。而他久飞升了,无所存在。

……

凉月凉风之下,我们背着秦淮河走去,悄默是当然的事了。如回头,河中的繁灯想定是依然。我们却早已走得远,"灯火未阑人散";佩弦,诸君,我记得这就是在南京四日的酣嬉,将分手时的前夜。

1923.8.23　北京

[注 释]

①俞平伯(1900—1990),原名铭衡,字平伯,古典文学研究家、红学家、诗人、作家。祖籍浙江省德清县,出生于苏州。

[赏 析]

秦淮河古称淮水,据说秦始皇时凿通方山引淮水横贯城中,故名秦淮河。六朝时代,十里秦淮便已十分繁华,明清时期更是商贾云集,文人墨客荟萃,青楼林立,画舫凌波。秦淮风光,尤以灯船最为著名。河上之船一律彩灯悬挂,游秦淮河之人,也以乘灯船为乐。朱自清、俞平伯的同名名篇《桨声灯影里的秦淮河》,可让我们尽情领略秦淮风光。

1923年8月,朱自清和俞平伯共游南京秦淮河,相约同以《桨声灯影里

的秦淮河》为题写一篇散文。两篇文章虽然题目相同，作者所见所闻相同，但由于两人的性格、经历及当时的心境有所不同，故所感所言相异，形诸笔端，形成两篇风格、情趣迥异的美文，各有各的特色和优点，真可谓各有千秋。就艺术风格而言，文学评论家李素伯曾作过这样的比较：“我们觉得同是细腻的描写，俞先生的是细腻而委婉，朱先生的是细腻而深秀；同是缠绵的情致，俞先生的是缠绵里满蕴着温熙浓郁的氛围，朱先生的是缠绵里多含有眷恋悱恻的气息。如用作者自己的话来说，则俞先生的是‘朦胧之中似乎胎孕着一个如花的笑’，而朱先生的是‘仿佛远处高楼上渺茫的歌声似的’。”

俞平伯受佛教思想的影响，个性达观、超脱、宽厚，初泛“六朝金粉气”的秦淮河，表现出超脱的闲适，怡然自得，陶醉于桨声灯影里的秦淮美景，与同游的朱自清所表现的无法排遣的愁绪不同。本文写景含蓄委婉，如以描写歌舫上听歌人的表情、唱歌人的姿态来展现灯光璀璨的秦淮河夜景；以急忙忙打桨的小艇子，秦淮河姑娘们的靓妆，“茉莉的香，白兰花的香，脂粉的香，纱衣裳的香……微波泛滥出甜的暗香”，来表现歌舫的繁喧，以及四周游船的密集热闹。作者还善于把写景和论理结合起来，如文中对“有”、“无”的论述，文尾“当时之感”的解释，充满了哲理的意味和哲人的思索。俞平伯用笔华丽典雅，空灵有致，笔下的景色迷离朦胧，在欣赏着沿河风光的同时也回味着人生百态。

63. 山水[①]

李广田

先生，你那些记山水的文章我都读过，我觉得那些都很好。但是我又很自然地有一个奇怪念头：我觉得我再也不愿意读你那些文字了，我疑惑那些文字都近于夸饰，而那些夸饰是会叫生长在平原上的孩子悲哀的。你为什么尽把你们的山水写得那样美好呢，难道你从来就不曾想到过：就是那些可爱的山水也自有不可爱的理由吗？我现在将以一个平原之子的心情来诉说你们的山水：在多山的地方行路不方便，崎岖坎坷，总不如平原上坦坦荡荡；住在山圈里的人很不容易望到天边，更看不见太阳从天边出现，也看不见流星向地平线下消逝，因为乱山遮住了你们的望眼；万里好景一望收，是只有生在平原上的人才有这等眼福；你们喜欢写帆，写桥，写浪花或涛声，但在我平原人看来，却还不如秋风禾黍或古道鞍马更为好看；而大车工东，恐怕也不是你们山水乡人所可听闻。此外呢，此外似乎还应该有许多理由，然而我的笔偏不听我使唤，我不能再写出来了。唉唉，我够多么蠢，我想同你开一回玩笑，不料却同自己开起玩笑来了，我原是要诉说平原人的悲哀呀。我读了你那些山水文章，我乃想起了我的故乡，我在那里消磨过十数个春秋，我不能忘记那块平原的忧愁。

我们那块平原上自然是无山无水，然而那块平原的子孙们是如何地喜欢一洼水，如何地喜欢一拳石啊。那里当然也有井泉，但必须是深及数丈之下才能用桔槔取得他们所需的清水，他们爱惜清水，就如爱惜他们的金钱。孩子们就巴不得落雨天，阴云漫漫，几个雨点已使他们的灵魂得到了滋润，一旦大雨滂沱，他们当然要乐得发狂。他们在深仅没膝的池塘里游水，他们在小小水沟里放草船，他们从流水的车辙想像长江大河，又从稍稍宽大的水潦想像海洋。他们在凡有积水的地方作种种游戏，即使因而为父母所责骂，总觉得一点水对于他们的感情最温暖。有远远从水乡来卖鱼蟹的，他们就爱打听水乡的风物。有远远从山里来卖山果的，他们就爱探访山里有什么奇产。远山人为他们带来小小的光滑石卵，那简直就是获得了至宝，他们会

以很高的代价，使这块石头从一个孩子的衣袋转入另一个的衣袋。他们猜想那块石头的来源，他们说那是从什么山岳里采来的，曾在什么深谷中长养，为几千万年的山水所冲洗，于是变得这么滑，这么圆，又这么好看。曾经去过远方的人回来惊讶道：“我见过山，我见过山，完全是石头，完全是石头。”于是听话的人在梦里画出自己的山峦。他们看见远天的奇云，便指点给孩子们说道：“看啊，看啊，那像山，那像山。”孩子们便望着那变幻的云彩而出神。平原的子孙对于远方山水真有些好想像，而他们的寂寞也正如平原之无边。先生，你几时到我们那块平原上去看看呢：树木、村落，树木、村落，无边平野，尚有我们的祖先永息之荒冢累累。唉唉，平原的风从天边驰向天边，管叫你望而兴叹了。

自从我们的远祖来到这一方平原，在这里造起第一个村庄后，他们就已经领受了这份寂寞。他们在这块地面上种树木，种菜蔬，种各色花草，种一切谷类，他们用种种方法装点这块地面。多少世代向下传延，平原上种遍了树木，种遍了花草，种遍了菜蔬和五谷，也造下了许多房屋和坟墓。但是他们那份寂寞却依然如故，他们常常想到些远方的风候，或者是远古的事物，那是梦想，也就是梦呓，因为他们仿佛在前生曾看见些美好的去处。他们想，为什么这块地方这么平平呢，为什么就没有一些高低呢。他们想以人力来改造他们的天地。

你也许以为这块平原是非常广远的吧。不然，南去三百里，有一条小河，北去三百里，有一条大河，东至于海，西至于山，俱各三四百里，这便是我们这块平原的面积。这块地面实在并不算广漠，然而住在这平原中心的我们的祖先，却觉得这天地之大等于无限。我们的祖先们住在这里，就与一个孤儿被舍弃在一个荒岛上无异。我们的祖先想用他们自己的力量来改造他们的天地，于是他们就开始一件伟大的工程。农事之余，是他们的工作时间，凡是这平原上的男儿都是工程手，他们用铣，用锹，用刀，用铲，用凡可掘土的器具，南至小河，北至大河，中间绕过我们祖先所奠定的第一个村子，他们凿成了一道大川流。我们的祖先并不曾给我们留下记载，叫我们无法计算这工程所费的岁月。但有一个不很正确的数目写在平原之子的心里：或说三十年，或说四十年，或说共过了五十度春秋。先生，从此以后，我们祖先才可以垂钓，可以泅泳，可以行木桥，可以驾小舟，可以看河上的云烟。你还必须知道，那时代我们的祖先都很勤苦，男耕耘，女蚕织；所以都得饱食暖衣，平安度日，他们还有余裕想到别些事情，有余裕使感情上知道缺乏些什么东西。他们既已有了河流，这当然还不如你文章中写的那么好看，但总算

有了流水，然而我们的祖先仍是觉得不够满好，他们还需要在平地上起一座山岳。

一道活水既已流过这平原上第一个村庄之东，我们的祖先就又在村庄的西边起始第二件工程。他们用大车，用小车，用担子，用篮子，用布袋，用衣襟，用一切可以盛土的东西，运村南村北之土于村西，他们用先前开河的勤苦来工作，要掘得深，要掘得宽，要把掘出来的土都运到村庄的西面。他们又把那河水引入村南村北的新池，于是一曰南海，一曰北海，自然村西已聚起了一座十几丈高的山。然而这座山完全是土的，于是他们远去西方，采来西山之石，又到南国，移来南山之木，把一座土山装点得峰峦秀拔，嘉树成林。年长日久，山中梁木柴薪，均不可胜用，珍禽异兽，亦时来栖止，农事有暇，我们的祖先还乐得扶老提幼，携酒登临。南海北海，亦自鱼鳖蕃殖，萍藻繁多，夜观渔舟火，日听采莲歌。先生，你看我们的祖先曾过了怎样的好生活呢。

唉唉，说起来令人悲哀呢，我虽不曾像你的山水文章那样故作夸饰，——因为凡属这平原的子孙谁都得承认这些事实，而且任何人也乐意提起这些光荣——然而我却是对你说了一个大谎，因为这是一页历史，简直是一个故事，这故事是永远写在平原之子的记忆里的。

我离开那平原已经有好多岁月了，我绕着那块平原转了好些圈子。时间使我这游人变老，我却相信那块平原还该是依然当初。那里仍是那么坦坦荡荡，然而也仍是那么平平无奇，依然是村落，树木，五谷，菜畦，古道行人，鞍马驰驱。你也许会问我：祖先的工程就没有一点影子，远古的山水就没有一点痕迹吗？当然有的，不然这山水的故事又怎能传到现在，又怎能使后人相信呢。这使我忆起我的孩提之时，我跟随着老祖父到我们的村西——这村子就是这平原上第一个村子，我那老祖父像在梦里似的，指点着深深埋在土里而只露出了顶尖的一块黑色岩石，说道："这就是老祖宗的山头。"又走到村南村北，见两块稍稍低下的地方，就指点给我说道："这就是老祖宗的海子。"村庄东面自然也有一条比较低下的去处，当然那就是祖宗的河流。我在那块平原上生长起来，在那里过了我的幼年时代，我凭了那一块石头和几处低地，梦想着远方的高山，长水，与大海。

[注 释]

①李广田(1906—1968),山东邹平人,现代散文家、诗人。

[赏 析]

《山水》一文,看上去朴实方正,实则别具匠心。文章一开始便出人意料:对那些描绘江南山水的文字,作者疑惑是否近于夸饰。然而便以一个平原之子的眼光,一一列举江南山水所不及平原风光之处。其实这些都是在蓄势,等到作者突然承认“我原是要诉说平原人的悲哀呀”,读者的注意力已经完全跟着作者的一支笔走了。接下来作者饱含激情,叙写平原人对山水的憧憬和想像;又将文笔宕开,回溯遥远的年代,向读者讲述平原上的人们改造平原的故事,他们凿河造山,为获得有山有水的生活环境而努力,这里的叙述虽带上了夸饰的成分,却恰好反衬出平原人对山水的向往之情。讲完了先祖们的故事,作者又带着我们回到“平淡无奇”的现实中的平原上,倾听作者深情的表白:他正是凭了一块石头和几处低地,梦想着远方的山水的。文章也结束于对山水的梦想之中。短短一篇散文,写得跌宕起伏,曲折回旋,堪称奇文。

本文合写山水,若单就水而言,文章有两个方面的内容特别令人感动:一是平原人对水的炽热的向往之情;二是平原先祖们令天地为之动容的凿河水利工程。从文中可以看出,平原人对水的向往和凿河工程并非出于简单的物质需求,文章中没有任何这方面的表达以及暗示。实际上,平原人对水的向往完全来自生命内在的需求。孩子们在深仅没膝的池塘里游水,在小小的水沟里放纸船,从流水的车辙想像长江大河,从稍稍宽人的水潦想像海洋,这些想像来自内心深处,是对灵魂呼唤的回应。水,已经融入平原人的生命流程中了,如文章所说:“几个雨点已使他们的灵魂得到了滋润”;“总觉得一点水对于他们的感情最温暖”。同样,平原先祖们以伟大的人力,以漫长的时间在村庄边凿成一条大川流,其目的与其说在于物质利益的获得,不如说是在精神层面的追求。有了河,可以垂钓,可以泅泳,可以行木桥,可以驾小舟,可以看河上的云烟,可以“夜观渔舟火,日听采莲歌”,总之,灵魂得到了水的滋润,生活才真正有味道。对水炽热的向往之情、浩大的凿河工程,都令人悄然动容。亲水,是人的生存本性。换言之,水,不仅是人类生活的必需之物,同时也是人类灵魂的必需之物。

64. 镜泊湖风采（节选）

秦　牧[①]

奇湖七面作龙蟠，云彩波光送小船，
太古融岩曾喷火，长留宝镜照人寰。

山峦迤逦一湖银，妙趣天然未夺真，
淡染胭脂臻国色，画师何日洒丹青？

上面两首小诗是我在黑龙江镜泊湖畔写成的。

黑龙江多巨湖、奇湖，在这中间，镜泊湖是很著名的一个。你在黑龙江旅行。常听到人们这样询问："到兴凯湖去过么？""到镜泊湖去过么？"

兴凯湖是几千平方公里的国界湖，孩子们在地理教科书里也会读到的。然而，这面镜泊湖，在东北相当有名，在外地，知道的人好像并不很多。

其实，这个古朴瑰奇的湖泊，是很值得全国注意的。用不着多说，只要提一句关于它诞生的掌故就够使人产生强烈兴趣了。在多少万年以前，这里发生过十分猛烈的地震，熔岩滚滚，直冲云霄，它的力量竟使山岩溪涧的出口处天然形成了一条火成岩的堤坝，于是出现了一个大自然创造的奇特的水库，这就是镜泊湖，它是全中国最大的火山堰塞湖。

这个湖在黑龙江的东南面，靠近吉林省北面的地方。它的湖水注入牡丹江，湖可以说是江的母亲。从牡丹江市出发，用不上半天工夫，就可以从山上公路俯瞰那一湖涟漪的旖旎风光了。

西湖、太湖、洞庭湖、洱海……这些名湖，都是人们所熟悉的。它们有的妩媚，有的雄奇，有的浓妆，有的淡抹。唯独镜泊湖却另具一番情调，它浓妆、淡抹都谈不上，而是充满了古朴的野趣。在镜泊山庄，诚然有一些别墅式的房子，中式的，苏式的，石头建筑的，或者木结构的，掩映在蓊翳②的树木之间。坐在那种有着尖顶、回廊的木头房子里，推窗也可以看到一角的山色湖光。初到来时，遥望一眼，简直不相信这样的地方可以叫做风景区，老实说，许多地方的普通水库都要比它漂亮多了。但是，当你乘着小船在镜泊湖上航行的时候，印象就会逐渐改变。这个遥望不见一座塔，一道拱桥，一个亭台楼阁的巨大湖泊，却有一番"妙趣天然未夺真"的景象，它所具有的是一种狙犷的美，朴素的美。打个比方吧，她是在水乡浣纱时代的西子，而不是宫禁里"云鬓花颜金步摇"的杨妃。

镜泊湖的湖水很清，湖面煞像大自然创造的一面巨镜。船在上面航行，上端是山色云彩，下面也是山色云彩，船头冲破了画图，涟漪潋滟，倒影碎裂之后，波光摇曳，船腹下的图景又愈合起来。两岸山峦绵亘，比较靠近山崖的时候，似乎有点三峡气派。更奇特的，是这个湖曲折蜿蜒，实际上是由七面大湖连串而成。小船航行着，航行着，看来前头是岸了，谁知转一个弯，又是一面大湖。如果是在江河航行，碰到这种状况，那就总可以处处见到航标的吧。湖上的老船夫凭借的就全是肉眼和经验了。湖中有一个地方，又是放流木排的场地，巨木成筏，在湖面上载浮载沉，这样的景象，在其他人工修饰很多的名湖，也是难得一见的。镜泊湖的风光，剥用一句宋诗，真可以说是"山穷水尽疑无路，抹角拐弯又一湖"了。

听说舍舟登山，在高处鸟瞰一番，可以看到许多美景。有的地方，湖心有岛，从上面望下来，好像一张树叶，在水面上漂浮轻荡。更高的地方，又可以看见湖和湖衔接处的葫芦般的细口。这澄澈的湖水里，还生产一种最大的重达七八斤的"湖鲫"。封建皇朝时代，它和黑龙江省的名产熊掌、犴鼻子③、飞龙鸟、鳇鱼④之类的东西，都是皇帝们勒索进贡的珍品。我虽然没有上山去望一望这种风景，尝一尝这种大得出奇的鲫鱼，但是听当地朋友们的叙述，也禁不住感受到湖山的情趣。

荡舟在这面野趣横生的湖水中，你会禁不住想到：在战争年代，人民和

内外敌人进行生死搏斗的日子里，这么一个山环水复的地方，该是人民英雄们秣马厉兵，树立战功的地方吧？事实上一点儿也不错，在抗击日本侵略军的时候，这里就曾经是个战场。有一个猎户被侵略军抓住了，要他带路，这个英雄猎户把侵略军带进了东北抗日联军游击队的伏击圈内，使那支侵略军几乎全军覆没，猎户最后也在敌人的盛怒中壮烈牺牲了。人民英雄们的斗争史迹，堪使湖山增色。

镜泊湖之美，还不仅在于湖面的山光水色，她又是和一些遥远奇特的太古、中古史迹联系在一起，和一些神话逸谈联系在一起的。这就是说，在她的笑靥上，还罩着一张珠光闪烁、云雾迷离的面纱。

离镜泊湖招待所不远的地方，有一个落差二十米的瀑布，穿过一条树木异常繁盛的林中小径，我们就到达那个美得古怪神奇的所在了。虽然那时正是枯水时节，二十米高的水珠帘子没有垂挂下来，但这并不影响它的瑰丽景致。出现在我们面前的，是一个四壁黛色岩石笔立，凹下处是一面颜色深得像墨的小湖。石壁之外，围着铁链，免得人们一失足掉下去。附近地面，到处是灰黑色的小孔密集的岩石。这种景观，在国内的各地名胜古迹中，我从来没有见过。它是诡异、奇特而又粗犷、美妙的。不用说，这就是当年火山的喷口。小湖里面的“墨水”，据说深不可测，至今仍没有人知道它的真正深度。当地也有人说这面小小的湖，并不是火山的喷发口，而是瀑布千年万代冲刷而成的。但是，看周围那些十分坚硬的岩石屹立如壁，湖水又黑得像墨水，我宁可相信它是一个古老的火山口。

……

[注 释]

①秦牧（1919—1993），原名林觉夫，广东澄海人，当代著名散文家。②蓊翳（wěngyì）：草木茂盛的样子。③犴（hān）：驼鹿。它的鼻子据说与熊掌一样是珍贵的美味。④鳇（huáng）鱼：又名鲟鳇鱼。大的体长可达五米，有五行硬甲，口大，半月形，两旁有扁平的须。

［赏 析］

本篇散文描写我国东北著名的镜泊湖，此处节选的是文章的前半部分，主要写镜泊湖美丽的自然风光（后半部分则更多地描绘了有关镜泊湖的神话传说和历史故事）。作家对镜泊湖自然风光的描写非常成功，让读者眼前一片湖光水波，如同置身山水美景之中。

镜泊湖是全中国最大的火山堰塞湖，这个特别的“身份”决定了它具有特别的“形象”、特别的“气质”，即使与西湖、太湖、洞庭湖、洱海等名湖相比也别具情调。作家非常精当地概括其突出特点是充满了“古朴的野趣”。为加深理解，我们不妨将“古朴的野趣”拆解为三点：“古”、“朴”、“野”，以此跟着作者一道来体验镜泊湖的特殊情调。

先来看“朴”。“朴”即是“妙趣天然未夺真”，因此作者将它比作水乡浣纱的西子而非宫廷里艳妆的杨贵妃。镜泊湖湖水清澈，湖面是宝镜，映射着山色云彩，宛如图画，给人以视觉的享受。它又是那么安静，似乎听不到任何声响。船行水上，倒影碎而又合，作者以动衬静，写足了镜泊湖的“天然”。朴素是单纯，但不是单一，因为镜泊湖实际上是由七面大湖连通而成，也就是篇首诗歌中所说的“奇湖七面作龙蟠”。船行湖中，眼看着前面到岸了，转个弯却又豁然开朗，真是曲径通幽，妙趣横生。这个“妙趣”并非人工所为，而是纯出天然。

朴素是未经人工，未经人工可能会使景色不够精致，却很自然地造就了一种粗犷的美，此即所谓的“野”。如此天然的“野地”，让人引起联想的不是婉约的风花雪月，而是壮烈的对敌斗争。历史上这里发生过可歌可泣的英雄故事，人民英雄的斗争史迹平添了镜泊湖的粗犷之美。

镜泊湖的情调还有一个重要的构成要素，就是“古”。这个“古”意味着镜泊湖能带给游人对遥远奇特的太古、中古史迹的缅想，尤其是置身于镜泊湖附近那个落差为20米的瀑布前时，只见四壁黛色岩石笔立，凹下处有一面颜色深得像墨的小湖，地面到处是灰黑色的小孔密集的岩石。古老的火山口使镜泊湖带着诡异、神秘的气息。镜泊湖的“古”，与它的“朴”、“野”互相融渗，构成一个整体，给予欣赏者丰富的审美体验。

65. 富春江上

季羡林[1]

记得在什么诗话上读到过两句诗：

到江吴地尽，隔岸越山多。

诗话的作者认为是警句，我也认为是警句。但是当时我却只能欣赏诗句的意境，而没有丝毫感性认识。不意今天我竟亲身来到了钱塘江畔富春江上。极目一望，江水平阔，浩渺如海；隔岸青螺[2]数点，微痕一抹，出没于烟雨迷蒙中。"隔岸越山多"的意境我终于亲临目睹了。

钱塘、富春都是具有诱惑力的名字。实际的情况比名字更有诱惑力。我们坐在一艘游艇上。江水青碧，水声淙淙。艇上偶见白鸥飞过，远处则是点点风帆。黑色的小燕子在起伏翻腾的碎波上贴水面飞行，似乎是在努力寻觅着什么。我虽努力探究，但也只见它们忙忙碌碌，匆匆促促，最终也探究不出，它们究竟在寻觅什么。岸上则是点点的越山，飞也似的向艇后奔。一点消逝了，又出现了新的一点，数十里连绵不断。难道诗句中的"多"表现的就是这个意境吗？

眼中看到的虽然是当前的景色，但心中想到的却是历史的人物。谁到了这个吴越分界的地方不会立刻就想到古代的吴王夫差和越王勾践的冲突呢？当年他们勾心斗角互相角逐的情景，今天我们已经无从想像了。但是乱箭齐发、金鼓轰鸣的搏斗总归是有的。这种鏖兵的情况同这样的青山绿水无论如何也不能协调起来。人世变幻，今古皆然。在人类前进的程途上，这些都是不可避免的。但青山绿水却将永在。我们今天大可不必庸人自扰，为古人担忧，还是欣赏眼前的美景吧！

但是，我的幻想却不肯停止下来。我心头的幻想，一下子又变成了眼前的幻象。我的耳边响起了诗僧苏曼殊[3]的两句诗：

春雨楼头尺八箫，何时归看浙江潮。

这里不正是浙江钱塘潮的老家吗？我平生还没有看到浙江潮的福气。这两句诗我却是喜欢的，常常在无意中独自吟咏。今天来到钱塘江上，这两句诗仿佛是自己来到了我的耳边。耳边诗句一响，眼前潮水就涌了起来：

怒声汹汹势悠悠，罗刹江边地欲浮。
漫道往来存大信，也知反复向平流。
狂抛巨浸疑无底，猛过西陵似有头。
至竟朝昏谁主掌，好骑赪鲤问阳侯④。

但是，幻象毕竟只是幻象。一转瞬间，"怒声汹汹"的江涛就消逝得无影无踪，眼前江水平阔，浩渺如海，隔岸青螺数点，微痕一抹，出没于烟雨迷蒙中。

可是竟完全出我意料：在平阔的水面上，在点点青螺上，竟又出现了一个人的影子。它飘浮飞驶，"翩若惊鸿，婉如游龙"⑤，时隐时现，若即若离，追逐着海鸥的翅膀，跟随着小燕子的身影，停留在风帆顶上，飘动在波光潋滟中。我真是又惊又喜。"胡为乎来哉？"难道因为这里是你的家乡才出来欢迎我吗？我想抓住它；这当然是不可能的。我想正眼仔细看它一看；这也是不可能的。但它又不肯离开我，我又不能不看它。这真使我又是兴奋，又是沮丧；又是希望它飞近一点，又希望它离远一点。我在徒唤奈何中看到它飘浮飞动，定睛敛神，只看到青螺数点，微痕一抹，出没于烟雨迷蒙中。

我们就这样到了富阳。这是我们今天艇游的终点。我们舍舟登陆，爬上了有名的鹳山。山虽不高，但形势极好。山上层楼叠阁，曲径通幽，花木扶疏，窗明几净。我们登上了春江第一楼，凭窗远望，富春江景色尽收眼底。因为高，点点风帆显得更小了，而水上的小燕子则小得无影无踪。想它们必然是仍然忙忙碌碌地在那里飞着，可惜我们一点也看不着，只能在这里想像了。山顶上树木参天，森然苍蔚。最使我吃惊的是参天的玉兰花树，碗大的白花在绿叶丛中探出头来，同北地的玉兰花一比，小大悬殊，颇使我这个北方人有点目瞪口呆了。

在山边上一座石壁下是名闻天下的严子陵⑥钓台。宋朝大诗人苏东坡写的四个大字：登云钩月，赫然镌刻在石壁上。此地距江面相当远，钓鱼无论如何是钓不着的。遥想两千多年前，一个披着蓑衣的老头子，手持几十丈的钓竿，垂着几十丈长的钓丝，孤零一个人，蹲在这石壁下，等候鱼儿上钩，一动也不动，宛如一个木雕泥塑。这样一幅景象，无论如何也难免有滑稽之感。古人说：姑妄言之姑听之，过分认真，反会大煞风景。难道宋朝的苏东坡就真正相信吗？此地自然风光，天下独绝，有此一个传说，更会增加自然风光的妩媚，我们就姑妄听之吧！

两年前，我曾畅游黄山。那里景色之奇丽雄伟，使我大为惊叹。窃念大化造物，天造地设，独垂青于中华大地。我觉得生为一个中国人，是十分幸福的，是非常值得骄傲的。今天我又来到了富春江上。这里景色明丽，秀色天成，同样是美，但却与黄山形成了鲜明的对照。如果允许我借用一个现成的说法的话，那么一个是阳刚之美，一个是阴柔之美。刚柔不同，其美则一，同样使我惊叹。我们祖国大地，江山如此多娇，我的幸福之感，骄傲之感，更油然而生。我眼前的富春江在我眼中更增加了明丽，更增加了妩媚，仿佛是一条天上的神江了。

在这里，我忽然想到唐代诗人孟浩然的一首著名的诗《宿桐庐江寄广陵旧游》：

山暝听猿愁，沧江急夜流。风鸣两岸叶，月照一孤舟。

建德非吾土，维扬忆旧游。还将两行泪，遥寄海西头。

孟浩然说“建德非吾土”，在当时的情况下，这种心情是容易理解的。他忆念广陵，便觉得建德非吾土。到了今天，我们当然不会再有这样的感觉了。我觉得桐庐不但是“吾土”，而且是“吾土”中的精华。同黄山一样，有这样的“吾土”就是幸福的根源。非吾土的感觉我是有过的。但那是在国外，比如说瑞士。那里的山水也是十分神奇动人的，我曾为之颠倒过，迷惑过。但一想到“山川信美非吾土”，我就不禁有落寞之感。今天在富春江上，我丝毫也不会有什么落寞之感。正相反，我是越看越爱看，越爱看便越觉得幸福，在这风物如画的江上。我大有手舞足蹈之意了。

我当然也还感到有点美中不足。我从小就背诵梁代大文学家吴均的一篇名作《与宋元思书》⑦。这封信里描绘的正是富春江的风景：

风烟俱净，天山共色。从流飘荡，任意东西。自富阳至桐庐，一百许里，奇山异水，天下独绝。

下面就是对这“奇山异水”的描绘。那确是非常动人的。然而他讲的是“自富阳至桐庐”，我今天刚刚到了富阳，便戛然而止。好像是一篇绝妙的文章，只读了一个开头。这难道不是天大的憾事吗？然而，这一件憾事也自有它的绝妙之处，妙在含蓄。我知道前面还有更奇丽的景色，偏偏今天就不让你看到。我望眼欲穿，向着桐庐的方向望去，根据吴均的描绘，再加上我自己的幻想，把那一百多里的奇山异水给自己描绘得如阆苑⑧仙境，自己感到无比的快乐，我的心好像就在这些奇山异水上飞驰。等到我耳边听到有点嘈杂声，是同伴们准备回去的时候了。我抬眼四望，唯见青螺数点，微痕一抹，出没于烟雨迷蒙中。

[注 释]

①季羡林(1911—),山东清平(今临清)人,著名学者、作家。②青螺:这里是比喻峰峦的形状就像女子黑色的发髻。③苏曼殊(1884—1918),近代文学家。广东香山(今中山)人,原名玄瑛、字子穀(gǔ)。后为僧。④赪(chēng):赤色。⑤翩若惊鸿,婉如游龙:出自曹植《洛神赋》。鸿,鸿雁。比喻女子体态轻盈、婀娜。⑥严子陵:即严光,又名遵,字子陵,会稽余姚(今浙江余姚)人,东汉大儒。⑦《与宋元思书》:又作《与朱元思书》。⑧阆(làng)苑:传说中神仙所居之处。

[赏 析]

富春江是江南山水名胜,历来歌咏者甚多,作为一篇现代散文,本文旁征博引,独具匠心,抒发了作者对富春江的热爱之情,对祖国大好河山的骄傲之情,对祖国传统文化的景仰之情,成为描绘富春江的文学系列中的重要篇章。

阅读本文,不难发现,作者是以高度概括的笔力将富春江胜景浓缩为一幅美丽画面:“江水平阔,浩渺如海,隔岸青螺数点,微痕一抹,出没于烟雨迷蒙中。”这幅画从形貌、颜色、意境等多个层次勾勒了富春江景色,视野开阔,感觉朦胧,意境深远。在行文过程中,画面反复出现,直到文章结束,依然深深印于读者脑际。又如同音乐中的主旋律,在咏叹调一般的文章中反复响起。无论是从吴越鏖兵引发的有关人世变幻的感叹,还是对诗僧苏曼殊“春雨楼头尺八箫,何时归看浙江潮”的吟咏;无论是与黄山的比美,还是对自己在瑞士群山中“山川信美非吾土”的落寞之感的描述,都一一回到“青螺数点,微痕一抹,出没于烟雨迷蒙中”的主旋律上,直到最后告别富春江时,还是“唯见青螺数点,微痕一抹,出没于烟雨迷蒙中”。

本文不仅注重对富春江自然风景的描写,还注重对富春江文化内蕴的点染。吴越鏖兵、苏曼殊的浙江潮、江畔的鹳山、严子陵的钓台,都可以视作富春江文化的构成部分。除了联想历史典故,作者还广为征引前人诗文,可谓信手拈来,挥洒自如,从而使美丽的自然山水带有浓浓的文化气息。也就是说,作者所写不仅是自然之山水,还是文化之山水。事实上,正是美丽自然、深厚文化的二者合一,才造就了闻名天下的富春江。

66. 瓦尔登湖[①]（节选）

[美]梭罗[②]

……瓦尔登的风景是卑微的，虽然很美，却并不是宏伟的，不常去游玩的人，不住在它岸边的人未必能被它吸引住：但是这一个湖以深邃和清澈著称，值得给予突出的描写。

这是一个明亮的深绿色的湖，半英里长，圆周约一英里又四分之三，面积约61英亩半；它是松树和橡树林中央的岁月悠久的老湖，除了雨和蒸发之外，还没有别的来龙去脉可寻。四周的山峰突然地从水上升起，到40至80英尺的高度，但在东南面高到100英尺，而东边更高到150英尺，其距离湖岸，不过四分之一英里及三分之一英里。山上全部都是森林。所有我们康科德地方的水波，至少有两种颜色，一种是站在远处望见的，另一种，更接近本来的颜色，是站在近处看见的。第一种更多地靠的是光，根据天色变化。在天气好的夏季里，从稍远的地方望去，它呈现了蔚蓝颜色，特别在水波荡漾的时候，但从很远的地方望去，却是一片深蓝。在风暴的天气下，有时它呈现出深石板色。海水的颜色则不然，据说它这天是蓝色的，另一天却又是绿色了，尽管天气连些微的可感知的变化也没有。我们这里的水系中，我看到当白雪覆盖这一片风景时，水和冰几乎都是草绿色的。有人认为，蓝色“乃是纯洁的水的颜色，无论那是流动的水，或凝结的水”。可是，直接从一条船上俯看近处湖水，它又有着非常之不同的色彩。甚至从同一个观察点，看瓦尔登是这会儿蓝，那忽儿绿。置身于天地之间，它分担了这两者的色素。从山顶上看，它反映天空的颜色，可是走近了看，在你能看到近岸的细砂的地方，水色先是黄澄澄的，然后是淡绿色的了，然后逐渐地加深起来，直到水波一律地呈现了全湖一致的深绿色。却在有些时候的光线下，便是从一个山顶望去，靠近湖岸的水色

也是碧绿得异常生动的。有人说，这是绿原的反映；可是在铁路轨道这儿的黄沙地带的衬托下，也同样是碧绿的，而且，在春天，树叶还没有长大，这也许是太空中的蔚蓝，调和了黄沙以后形成的一个单纯的效果。这是它的虹色彩圈的色素。也是在这一个地方，春天一来，冰块给水底反射上来的太阳的热量，也给土地中传播的太阳的热量溶解了，这里首先溶解成一条狭窄的运河的样子，而中间还是冻冰。在晴朗的气候中，像我们其余的水波，激湍地流动时，波平面是在90度的直角度里反映了天空的，或者因为太光亮了，从较远处望去，它比天空更蓝些；而在这种时候，泛舟湖上，四处眺望倒影，我发现了一种无可比拟、不能描述的淡蓝色，像浸水的或变色的丝绸，还像青锋宝剑，比之天空还更接近蓝色，它和那波光另一面原来的深绿色轮番地闪现，那深绿色与之相比便似乎很浑浊了。这是一个玻璃似的带绿色的蓝色，照我所能记忆的，它仿佛是冬天里，日落以前，西方乌云中露出的一角晴天。可是你举起一玻璃杯水，放在空中看，它却毫无颜色，如同装了同样数量的一杯空气一样。众所周知，一大块厚玻璃板便呈现了微绿的颜色，据制造玻璃的人说，那是"体积"的关系，同样的玻璃，少了就不会有颜色了。瓦尔登湖应该有多少的水量才能泛起这样的绿色呢，我从来都无法证明。一个直接朝下望着我们的水色的人所见到的是黑的，或深棕色的，一个到河水中游泳的人，河水像所有的湖一样，会给他染上一种黄颜色；但是这个湖水却是这样地纯洁，游泳者会白得像大理石一样，而更奇怪的是，在这水中四肢给放大了，并且给扭曲了，形态非常夸张，值得让米开朗琪罗来作一番研究。

水是这样的透明，25至30英尺下面的水底都可以很清楚地看到。赤脚踏水时，你看到在水面下许多英尺的地方有成群的鲈鱼和银鱼，大约只一英寸长，连前者的横行的花纹也能看得清清楚楚，你会觉得这种鱼也是不愿意沾染红尘，才到这里来生存的。有一次，在冬天里，好几年前了，为了钓梭鱼，我在冰上挖了几个洞，上岸之后，我把一柄斧头扔在冰上，可是好像有什么恶鬼故意要开玩笑似的，斧头在冰上滑过了四五杆远，刚好从一个窟窿中滑了下去，那里的水深25英尺，为了好奇，我躺在冰上，从那窟窿里望，我看到了那柄斧头，它偏在一边头向下直立着，那斧柄笔直向上，顺着湖水的脉动摇摇摆摆，要不是我后来又把它吊了起来，它可能就会这样直立下去，直

到木柄烂掉为止。就在它的上面，用我带来的凿冰的凿子，我又凿了一个洞，又用我的刀，割下了我看到的附近最长的一条赤杨树枝，我做了一个活结的绳子一拉，这样就把那柄斧头吊了起来。

湖岸是由一长溜像铺路石那样的光滑的圆圆的白石组成的；除一两处小小的沙滩之外，它陡立着，纵身一跃便可以跳到一个人深的水中；要不是水波明净得出奇，你决不可能看到这个湖的底部，除非是它又在对岸升起。有人认为它深得没有底。它没有一处是泥泞的，偶尔观察的过客或许还会说，它里面连水草也没有一根；至于可以见到的水草，除了最近给上涨了的水淹没的、并不属于这个湖的草地以外，便是细心地查看也确定是看不到菖蒲和芦苇的，甚至没有水莲花，无论是黄色的或是白色的，最多只有一些心形叶子和河蓼草，也许还有一两张眼子菜。然而，游泳者也看不到它们；便是这样水草，也像它们生长在里面的水一样的明亮而无垢。岸石伸展入水，只一二杆远，水底已是纯粹的细沙，除了最深的部分，那里总不免有一点沉积物，也许是腐朽了的叶子，多少个秋天来，落叶被刮到湖上，另外还有一些光亮的绿色水苔，甚至在深冬时令拔起铁锚来的时候，它们也会跟着被拔上来的。

……

我第一次划船在瓦尔登湖上的时候，它四周完全给浓密而高大的松树和橡树围起，有些山凹中，葡萄藤爬过了湖边的树，形成一些凉亭，船只可以在下面通过。形成湖岸的那些山太峻削，山上的树木又太高，所以从西端望下来，这里像一个圆形剧场，水上可以演出些山林的舞台剧。我年纪轻一点的时候，就在那儿消磨了好些光阴，像和风一样地在湖上漂浮过，我先把船划到湖心，而后背靠在座位上，在一个夏天的上午，似梦非梦地醒着，直到船撞在沙滩上，惊动了我，我就欠起身来，看看命运已把我推送到哪一个岸边来了；那种日子里，懒惰是最诱惑人的事业，它的产量也是最丰富的。我这样偷闲地过了许多个上午。我宁愿把一日之计在于晨的最宝贵的光阴这样虚掷；因为我是富有的，虽然这话与金钱无关，我却富有阳光照耀的时辰以及夏令的日月，我挥霍着它们；我并没有把它们更多地浪费在工场中，或教师的讲台上，这我也一点儿不后悔。可是，自从我离开这湖岸之后，砍伐木材的人竟

大砍大伐起来了。从此要有许多年不可能在林间的甬道上徜徉了，不可能从这样的森林中偶见湖水了。我的缪斯女神如果沉默了，她是情有可原的。森林已被砍伐，怎能希望鸣禽歌唱？

现在，湖底的树干，古老的独木舟，黑魆魆的四周的林木，都没有了，村民本来是连这个湖在什么地方都不知道的，却不但没有跑到这湖上来游泳或喝水，反而想到用一根管子来把这些湖水引到村中去给他们洗碗洗碟子了。这是和恒河之水一样地圣洁的水！而他们却想转动一个开关，拔起一个塞子就利用瓦尔登的湖水了！这恶魔似的铁马，那裂破人耳的鼓膜的声音已经全乡镇都听得到了，它已经用肮脏的脚步使沸泉的水浑浊了，正是它，它把瓦尔登岸上的树木吞噬了；这特洛伊木马，腹中躲了一千个人，全是那些经商的希腊人想出来的！哪里去找呵，找这个国家的武士，摩尔大厅的摩尔人，到名叫“深割”的最深创伤的地方去掷出复仇的投枪，刺入这傲慢瘟神的肋骨之间？

然而，据我们知道的一些角色中，也许只有瓦尔登坚持得最久，最久地保持了它的纯洁。许多人都曾经被譬喻为瓦尔登湖，但只有少数几个人能受之无愧。虽然伐木的人已经把湖岸这一段和那一段的树木先后砍光了，爱尔兰人也已经在那儿建造了他们的陋室，铁路线已经侵入了它的边境，冰藏商人已经取过它一次冰，它本身却没有变化，还是我在青春时代所见的湖水；我反倒变了。它虽然有那么多的涟漪，却并没有一条永久性的皱纹。它永远年轻，我还可以站在那儿，看到一只飞燕坦然扑下，从水面衔走一条小虫，正和从前一样。今儿晚上，这感情又来袭击我了，仿佛 20 多年来我并没有几乎每天都和它在一起厮混过一样，——啊，这是瓦尔登，还是我许多年之前发现的那个林中湖泊；这儿，去年冬天被砍伐了一个森林，另一座林子已经跳跃了起来，在湖边依旧奢丽地生长；同样的思潮，跟那时候一样，又涌上来了；还是同样水露露的欢乐，内在的喜悦，创造者的喜悦，是的，这可能是我的喜悦。这湖当然是一个大勇者的作品，其中毫无一丝一毫的虚伪！他用他的手围起了这一泓湖水，在他的思想中，予以深化，予以澄清，并在他的遗嘱中，把它传给了康科德。我从它的水面上又看到了同样的倒影，我几乎要说了，瓦尔登，是你吗？

……

［注 释］

①本文节选自上海译文出版社 1993 年出版的《瓦尔登湖》(徐迟译)中的

《湖》一章。②梭罗(1817—1862),生于美国康科德城,1837 年毕业于哈佛大学,1838 回到家乡,执教两年。1841 年在大作家、思想家爱默生家里当门徒和助手,并开始尝试写作。1845 年 3 月,孤身一人进入无人居住的瓦尔登湖边的山林中,在湖畔建造了一个小木屋,住了两年多时间。他于 1862 年病逝,年仅 44 岁。终身未娶。

[赏 析]

瓦尔登湖,一个美丽的地方,位于美国马萨诸塞州的康科德城。1845 年春天,梭罗借来一柄斧头,走到瓦尔登湖边的森林里,建起一座木屋,过起自耕自食的生活,并在那里写下了著名的《瓦尔登湖》。

以上节选,作者以细腻的笔触,深情地描绘了四季湖水及周围的景色,描写瓦尔登湖美丽多变的色彩,以及湖水的清澈洁净。纯洁透明的湖水,茂密葱绿的树木,已与梭罗的心融为一体。四季流转,景虽变幻,情却如一。瓦尔登湖不仅是梭罗曾经栖息的生活场所,也是他的精神家园和心灵故乡,是他在喧嚣的世界中寻得的一个幽雅僻静的去处,是他对自由、个人价值执着追求的象征。瓦尔登湖不仅给他提供了思考的空间,也给他提供了一种朴素淡泊的心境。他在这里观察、倾听、感受、沉思,生活得很快乐。这让人联想到古代中国的庄子。比梭罗早两千多年的庄子,早就讨论过如何获取人生最大的快乐。"夫富者,苦身疾作,多积财而不得尽用,其为形也亦外矣。夫贵者,夜以继,日思虑善否,其为形也亦疏矣。"(《至乐篇》)于是他总结出"至乐活身,唯无为几存"的生存之道,也就是说,超脱于世俗常情之外,做到无欲无为,就可以享受最大的快乐。

读着这些文字,感受湖水的澄澈透明、山林的茂密苍翠,顿时感到全身心脱离了尘世的喧嚣和功利的羁绊,与自然融为一体,在自然中感悟人生,感悟哲理。物质文明的高度发达,满足了人们的私欲,得到了他人的歆羡,但同时,人们也把自己逼进了一个死胡同:资源耗尽,淡水缺乏,环境污染,生物灭绝。人类生存面临挑战,使人不得不对眼前的快乐进行反省。这一切都使人们无比向往瓦尔登湖澄净的山林和清新的空气。

肆

壮美之水

67. 河伯[1]

屈 原

与女游兮九河[2]，冲风起兮横波[3]。
乘水车兮荷盖[4]，驾两龙兮骖螭[5]。
登昆仑兮四望[6]，心飞扬兮浩荡。
日将暮兮怅忘归[7]，惟极浦兮寤怀[8]。
鱼鳞屋兮龙堂[9]，紫贝阙兮朱宫[10]，
灵何惟兮水中[11]！乘白鼋兮逐文鱼[12]。
与女游兮河之渚[13]，流澌纷兮将来下[14]。
子交手兮东行[15]，送美人兮南浦[16]。
波滔滔兮来迎，鱼邻邻兮媵予[17]。

[注 释]

①《河伯》是《九歌》中的一篇。《九歌》本为流传于江南沅湘流域的、带有“巫风”迎神、送神、颂神、娱神色彩的祭歌，屈原在民间流传的基础上进行了再创造。《河伯》即为祭祀河神的祭歌，由男巫饰神独唱。据学者研究，河伯本是四五千年前黄河下游一个古老部族的酋长，曾在治理黄河中发挥过重大作用，死后遂被东夷、华夏各族奉为河神 。②女：通“汝”，即“你”，此处是巫称河伯。九河：古代黄河下游许多支流的总称，此处泛指黄河。③冲风：大风。横波：扬起大波。④荷盖：以荷为盖。盖，指车顶。⑤骖(cān)：古人以四匹马拉车，中间两匹称“服”，两旁两匹称“骖”。螭(chī)：传说中没有角的龙。“骖”在此处用作动词，骖螭，即以螭为骖。⑥昆仑：神话中的一座山，古人认为它是黄河的发源地。⑦怅：遗憾。⑧极浦：水边尽头。寤怀：寤寐怀想，形容思念之极；一说为“顾怀”之误，意为怀念。⑨龙堂：壁上画龙的厅堂。⑩紫贝：一种珍贵的水产。阙：宫门前两边高耸的望台。朱宫：一作“珠宫”，珍珠做成的宫殿。⑪灵：神君，此处也是巫称河伯。⑫鼋：大鳖。文

鱼：即鲤鱼，古人认为鲤鱼跳过龙门后就变成了龙，是一种“神鱼”。⑬渚(zhǔ)：水边。⑭流澌(sī)：解冻时河中流动的冰块。⑮交手：握手，表示送别。⑯美人：此处也是巫称河伯。南浦：向阳的岸边。⑰鱼：指前面的“文鱼”。邻邻：一本作“鳞鳞”，鱼鳞般密集排列的样子。媵(yìng)：护送陪伴。予：我，巫自称。

[赏 析]

《九歌》的主旨为祭神，《河伯》即为祭祀河神的祭歌，由男巫饰神独唱。巫是所谓“人神交际者”，一方面代表神向人宣布旨意，另一方面代表人向神祈祷。在本诗中，男巫随河伯畅游“九河”，上达昆仑，下抵水府，最后恋恋不舍地送别河伯，因此，本诗可以理解为巫者随河伯对黄河所作的一次伟大的巡礼。

诗歌一开篇就通过巫者的眼睛，以开阔的视野对黄河的雄壮气势进行了描述：只见大风骤起，洪波涌荡，“我”随河伯驾着水车，遨游于黄河之上，荷叶为顶，螭龙为骖，声势赫赫，场面宏大。河伯沿黄河而上，一直登上黄河的发源地——昆仑山，在山顶四望，不禁意气飞扬，胸怀浩荡。遗憾的是天色已晚，只好回到家中。那么，河伯的“家”又是什么样子的呢？诗人以华丽之笔将河伯的水下居所描绘得流光溢彩：锦鳞华屋、雕龙大堂、紫贝望台、珍珠宫殿。接下来又写河伯出游，这位伟大的河神乘着灵鼋，鲤鱼在旁边伴游，此时流冰纷涌，场面显得非常庄严。最后，当河伯欲继续东行时，他与巫者告别，这时黄河下游波涛滚滚，鲤鱼对对，已在欢迎河伯的驾临。

全诗想像力丰富，格调高昂，以浪漫主义笔法呈现出了黄河的非凡气势，抒发了对黄河的礼赞。

68. 步出夏门行[1]

曹　操

东临碣石[2]，以观沧海[3]。水何澹澹[4]，山岛耸峙[5]。树木丛生，百草丰茂。秋风萧瑟，洪波涌起。日月之行，若出其中；星汉灿烂[6]，若出其里。幸甚至哉，歌以咏志[7]。

[注释]

①曹操《步出夏门行》共四章，本篇为第一章，是古代诗歌中描写大海景象的名篇。②碣石：在今河北秦皇岛附近。③沧海：大海。因其色苍，故曰沧海。④澹（dàn）澹：水波摇荡之状。⑤耸峙：高耸特立。⑥星汉：即银河。⑦“幸甚”两句：为合乐时所加，与正文没有直接关系。

[赏析]

东汉建安十二年（公元207年），曹操远征乌桓，东临碣石，留下了这首大气磅礴的诗作。在中国诗歌史上，这首诗是最早对大海进行写实性描绘的。以前的文学中（例如古代神话中的海，《庄子》所写的“北溟”、“南海”等），对海的描写基本是想像性的，作者并未实际见到大海。而曹操笔下的海，兼具写实和想像的双重特色。诗人面对浩瀚沧海，见海水苍茫，波涛翻涌，海岛耸立，草木丰茂，这些均为写实。而“日月之行”以下四句，转而为宏伟开阔

的想像，沧海之大，在诗人笔下被夸张到了极致。按照《庄子·秋水》的说法，大海再广阔毕竟还在天地之间，而且与天地相比还是小的（“四海之在天地之间，不似垒空之在大泽乎?”），曹操此诗却说大海似乎能够包容天地，吞吐日月，艺术上的夸张极富雄浑之气。“一切景语皆情语”，曹操笔下雄浑浩瀚的大海形象，与他作为一个政治家、军事家的广阔胸襟和平定寰宇、统一天下的豪情壮志，已经融为一体了。

69. 孟门[①]

郦道元[②]

孟门,即龙门之上口也[③],实谓河之巨厄[④],兼孟津之名矣[⑤]。此石经始禹凿[⑥],河中漱广[⑦],夹岸崇深[⑧],倾崖返捍[⑨],巨石临危,若坠复倚。古之人有言:“水非石凿而能入石。”信哉[⑩]!其中水流交冲,素气云浮[⑪],往来遥观者,常若雾露沾人,窥深悸魄[⑫]。其水尚崩浪万寻[⑬],悬流千丈,浑洪赑怒[⑭],鼓若山腾[⑮],浚波颓叠[⑯],迄于下口[⑰]。方知慎子下龙门[⑱],流浮竹,非驷马之追也[⑲]。

[注 释]

①本文节选自《水经注》。孟门:古山名,在今陕西省宜川县东北、山西省吉县西,绵亘于黄河两岸。②郦道元:见本书第 36 篇《阳城淀》注释②。③龙门:即禹门口,在陕西省韩城县东北、山西省河津县西北。黄河至北,两岸峭壁对峙,形如阙门,故名。孟门在龙门上游,故称为龙门之上口。④厄(è):阻塞险要之处。⑤孟津:即孟门津,古黄河津渡名,与孟门山参差相接。⑥这句是说孟门始由大禹凿开。⑦漱广:指河道因受河水冲击而变得宽广。⑧崇:高。⑨倾崖返捍:意谓山崖斜插水中。⑩信哉:确实是这样。⑪素气云浮:白色的水气像云一样浮动。⑫窥深悸魄:看到深处使人惊心动魄。⑬崩浪:滚落的浪头。万寻:形容其高。古代以八尺为一寻。⑭浑洪:盛大的洪水。赑(bì)怒:形容水流峻急奔腾的状态。⑮鼓若山腾:波涛鼓动如山腾跃。⑯浚波颓叠:巨浪重叠推涌,向下奔流。浚:深。颓:倒下。⑰下口:指龙门的下口。⑱慎子:慎到(约前 395—约前 315),战国时法家代表人物,著有《慎子》一书。⑲驷马:用四匹马拉的车子。《慎子》中有“河下龙门,其流驶如竹箭,驷马追之不及”的描写。

[赏 析]

黄河是中华民族的母亲河，也是孕育中华水文化的摇篮。黄河流泻千里，宛如天然的多姿多彩的巨幅画卷，或洪波喷流，或盘涡毂转，或怒触山动，或轻浪拍岸，情态各异，美不胜收。《孟门》是郦道元《水经注·孟门山》下的一条注的片段，尽管不到二百字，却多角度地描绘了黄河咆哮奔腾触龙门的独特的壮观景象，给人以身临其境的生动感触。

全篇分为四个层次。“孟门，即龙门之上口也，实谓黄河之巨厄，兼孟津之名矣。”这是第一层次，语言简洁概括，一方面交代孟门地处龙门上口的位置，另一方面突出其险扼奇峻的形势，为下面的具体描写作了有力的铺垫。

第二层次将夹岸的山势作为描写的对象，但意在显示河水的力量：“此石经始禹凿，河中漱广，夹岸崇深，倾崖返捍，巨石临危，若坠复倚。”先平视，后仰视，用精练简洁的四字句，表现黄河冲击山体，水宽浪激，崖脚斜插，巨石凌空的奇观。然后用一句“古之人有言：‘水非石凿而能入石。’信哉！”写面对此景的感慨。

第三层次变换视点，重在表现水流撞击而腾起的水气和四处弥漫的雾露：“其中水流交冲，素气云浮，往来遥观者，常若雾露沾人，窥深悸魄。”用俯视的角度描写遥观者眼中的壮阔场面和惊心动魄的真实感受，进一步加深读者的印象。

第四层次则借助对偶、夸张、比喻等手法，正面描写黄河排山倒海、飞流直下的气势，极富表现力：“其水尚崩浪万寻，悬流千丈，浑洪赑怒，鼓若山腾，浚波颓叠，迄于下口。”节奏短促、明快，声形并茂，一气呵成，与所描写的奔腾向前的水势动态相融合，达到内容美和形式美的高度统一。最后引用古籍“方知慎子下龙门，流浮竹，非驷马之追也”作结，再一次突出孟门之水湍急、壮美和雄浑的气势。

70. 湖口望庐山瀑布水[①]

张九龄[②]

万丈红泉落[③]，　迢迢半紫氛[④]。
奔流下杂树，　洒落出重云。
日照虹霓似，　天清风雨闻。
灵山多秀色[⑤]，　空水共氤氲[⑥]。

[注 释]

①湖口：在九江市隔江之东，因其在鄱阳湖之口，故名。②张九龄(673—740)，唐代诗人，字子寿，韶州曲江(今广东省韶关市)人，唐玄宗朝曾为宰相。③红泉：指瀑布。④紫氛：指水气。⑤灵山：道家称蓬莱山的别名，犹言仙山。这里借指庐山。⑥"空水"句：意谓瀑布从山顶奔泻，远望如挂在空中，水气和烟云融成一片。氤氲：气盛貌。

[赏 析]

庐山景色秀丽，美如仙境，尤以瀑布最为著名，瀑布最能代表秀丽庐山的神韵。这首诗的视角是从湖口远观庐山瀑布，从不同角度，以不同手法，浓墨重彩地描绘了一幅雄奇奔放、绚丽多姿的日照飞瀑图。首联写瀑布

的气势之大。瀑布从高高的庐山落下，仿佛从天而降，气势不凡。瀑布在日光的映照下，呈现出璀璨的色彩，“红泉”与“紫氛”相映，光彩夺目。颔联写远望瀑布，或为杂树遮挡，或被云气遮掩，看不清全貌，似乎瀑布奔腾流过杂树，潇洒冲出重云，豪迈而有神采。瀑布在阳光的照耀下，犹如虹霓当空，其响若风雨，声威远播。尾联写出了瀑布与天空连成一气，是天地和谐化成的精醇。这首诗描写的是庐山瀑布水的远景，诗人写山水以抒怀，寄托着自己的理想和政治抱负。

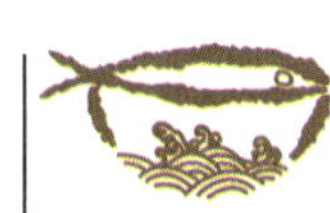

71. 临洞庭湖赠张丞相[①]

孟浩然[②]

八月湖水平，涵虚混太清[③]。
气蒸云梦泽[④]，波撼岳阳城。
欲渡无舟楫，端居耻圣明[⑤]。
坐观垂钓者，徒有羡鱼情[⑥]。

[注释]

①本诗题目又作《临洞庭湖》。张丞相，即当时在位的丞相张九龄。②孟浩然(689—740)，唐代诗人，以字行，名不详，襄阳(今属湖北)人。山水诗创作与王维并称。③"涵虚"句：谓湖水涵容天宇，水天相接，混而为一。虚，太清，指天空。④云梦泽：古代云、梦本为二泽，江北为云，江南为梦，后世大部分淤为平地，并称云梦泽。古代云梦范围很广，是现在湖北东南部、湖南东北部一带低洼地的总称。⑤端居：独居，隐居。耻圣明：有愧于圣明之世。⑥"坐观"二句：意谓看别人钓鱼，自己徒有羡慕之心。暗示徒有从政的愿望而无人引荐，希望得到援引。

[赏析]

诗人写这首诗送给当时在位的开明丞相张九龄，表明自己的积极入世之心。居圣明之时不愿隐居，希望在政治上

得到援引，这在古代文人中是比较普遍的心理。这一现象的形成，有其复杂原因，此处不多作分析评价。从描写水的角度看，本诗气象开阔，风格浑厚壮美，在孟诗中是不多见的。八月的洞庭湖，秋水大涨，浩瀚无际，水天相接，浑然一体，一派波澜壮阔的景象。诗中“气蒸云梦泽，波撼岳阳城”一联，描写云梦大泽水气蒸腾，洞庭湖的波涛声摇撼着岳阳城。以艺术的夸张手法，渲染了洞庭湖、云梦泽壮阔的水势、气势、声势。境界开阔高远，蕴涵了诗人希望建功立业的豪迈胸襟。这两句诗与杜甫《登岳阳楼》中“吴楚东南坼，乾坤日夜浮”一联，历来被认为是咏洞庭湖水的名句。据清人记载，在岳阳楼上，曾经左边书写本诗，右边书写杜诗，后人到此不敢再有题咏。可见在描写洞庭水的诗作中，孟浩然这首诗确实达到了相当高的水准。

72. 汉江临泛

王 维

楚塞三湘接①，荆门九派通②。
江流天地外，山色有无中。
郡邑浮前浦③，波澜动远空。
襄阳好风日，留醉与山翁④。

［注 释］

①楚塞：指古代楚国地界。三湘：湘水合漓水称漓湘，合蒸水称蒸湘，合潇水称潇湘，故又称三湘。②荆门：在今湖北荆门南。九派：九条支流。长江至浔阳分为九支。③郡邑：指襄阳郡城，今湖北省襄樊市，位于汉江南岸。浦：水边。④山翁：即山简，晋人。《晋书·山简传》说他曾任征南将军，镇守襄阳。这里借指当时襄阳的地方官。

［赏析］

王维的诗，以“诗中有画”著称，这首诗犹如一幅色彩淡雅、格调清新、意境优美的水墨山水画，描绘出汉江的宽广，远山的迷蒙，展现了汉江壮丽浩淼的景色。诗歌气势雄伟，意境开阔。开篇收汉江雄浑壮阔之景于笔端，汉江横卧楚塞而接“三湘”、通“九派”，水势浩淼。接着写汉江水势汹涌，似向天地之外奔流而去，远山由于被江面蒸腾的水气所笼罩，所以若有若无，时隐时现。山色的迷蒙苍茫，更衬托出江水的浩瀚空阔。所以王世贞评曰：“江流天地外，山色有无中，是诗家俊语，却入画三昧。”诗人故意利用动与静的错觉，进一步渲染汉江的磅礴水势。所乘之舟的上下起伏，仿佛城郭在水面上浮动；江水波涛汹涌，好像天空也随之摇荡起来，下笔生动。诗人面对如此美好的襄阳风物，试图要与山简相对而饮，一醉方休，表达了诗人对汉江的热爱与赞美之情。全诗以素雅的笔墨，描绘了优美而壮阔的景物，并融情入景，给人以美的享受。

73. 登岳阳楼

杜 甫

昔闻洞庭水，　今上岳阳楼。
吴楚东南坼①，　乾坤日夜浮。
亲朋无一字，　老病有孤舟。
戎马关山北②，　凭轩涕泗流。

[注 释]

①坼(chè)：分裂。②戎马：当年八月吐蕃十万兵进犯灵州，两万兵犯汾州。京师戒严。

[赏 析]

公元768年，杜甫初至湖南岳阳，以融入太虚的整个身心去感受洞庭湖云气蒸腾、天水浑茫、撼动岳阳古城的伟力。古往今来，无数写洞庭湖水的诗文，论胸襟之开阔、气魄之雄伟，应首推本诗。全诗最为有力、最为精工的当数第二联，成为千古名句。八百里洞庭浩淼无边，吴楚两地被它一分为二；从岳阳楼上俯瞰，感觉汪洋一片，整个世界都漂浮在水面上。“乾坤”指称整个空间，而“日夜”代表整个时间，时空的浩瀚体现出洞庭之水何等雄伟。虽是大好河山，整个社会却乱象环生，诗人眼中是水，心中装的却是国事民生。关山一带，烽火狼烟，想“我”老病之身，无法为国效力，不禁涕泪滂沱。杜甫用包容宇宙的襟怀、感受以及雄健的笔力，描绘了洞庭水宏阔的气象，创造出无比高远的诗境。

74. 游石龙涡[①]

孟　郊[②]

古龙不见形，　　石雨如散星[③]。
山下晴皎皎[④]，　　山中阴泠泠[⑤]。
水飞林木杪[⑥]，　　珠缀莓苔屏[⑦]。
畜异物皆别[⑧]，　　当晨景欲暝[⑨]。
泉芳春气碧，　　松月寒色青。
险力此独壮[⑩]，　　猛兽亦不停。
日暮且回去，　　浮心恨未宁[⑪]。

[注　释]

①石龙涡：在今河南临汝县。②孟郊（751—814），唐代诗人，字东野，湖州武康（今浙江德清）人。其诗以五言古体见长，为“元和体”一种，一扫大历以来的靡弱诗风。③石雨：山中飞泉溅上石壁如乱雨飞落。④皎皎：天光明亮。⑤泠泠（líng）：清凉。⑥杪（miǎo）：树梢。⑦莓苔：山中的两种喜阴植物。莓：一种球形花托的小草。苔：青苔。⑧畜异：蓄含的奇异景致。⑨暝（míng）：黄昏。⑩险力：险要的气势。⑪浮心：心绪浮荡不宁。

[赏　析]

中国古代文学史上有“郊寒岛瘦”之说，意谓孟郊、贾岛的诗歌偏于奇僻和偏狭。这首《游石龙涡》于奇僻中蕴涵挺拔，峥嵘奇异，视角独特，集中地体现了“郊寒”的特点。

本诗写的是作者春游石龙涡所见，与别人写宏大景物“化大为小”的手法不同，孟郊用“以小见大”的写法，写自己山中之所见，主要突出石龙涡的阴冷气氛，读者需要运用想像才能感知到石龙涡的形与神。作者清晨入山，日暮归去，游石龙却未见石龙之形，只见石上流泉如飞雨一般洒落下来，喷

珠溅玉，似天星飞落，煞是壮观。这与通常印象中如大匹白缎从天而降的瀑布不同，是人站在瀑布中看到石龙涡瀑布显示出的奇特景致，而这种奇异的景致只有在这样奇崛的山势中才能看到。因为山高，山中自然“阴泠泠”、“当晨景欲暝”；因为瀑布长，自然“石雨如散星”、“珠缀莓苔屏”。奇景异致的形成原因在于山势的险峻，山势的险峻又使山中景物具有一种孤独美。“泉芳春气碧”，眼中所见进一步成就心中所想，“松月寒色青”的孤寂与诗人的精神状态是吻合的。

75. 贞女峡[①]

韩 愈

江盘峡束春湍豪[②]，雷风战斗鱼龙逃。
悬流轰轰射水府[③]，一泻百里翻云涛。
横浪卓龙相搏击[④]，澎湃急疾声怒号。
漂船摆石万瓦裂[⑤]，咫尺性命轻鸿毛。

［注 释］

①贞女峡：又名楞伽峡，位于龙宫滩之上，距连州城（今广东连县）约十五华里。②春湍：春天涨水，江流湍急。③水府：传说中的龙宫。④卓龙：江中的巨龙。⑤摆石：把石头击碎。

［赏 析］

《水经注》记载："汇水出桂阳，南至四会，溪水下流，历峡南出，是峡谓之贞女峡。峡西岸高岩为贞女山，山下际有石如人形，高七尺，状如女子，故名贞女峡。"汇水流经贞女峡时，因为峡谷高峻紧窄，腾空而下，水流湍急，气势凶猛，令人为之震撼。这首诗的第一句猛然起势，突兀雄奇，以三个主谓结构的词组对贞女峡谷的水从整体上进行描述，所谓"江盘"、"峡束"、"湍豪"，准确生动。大江弯弯曲曲，盘旋而下，积蓄了万千力量，突然经过极其陡削的山峡，水似乎一下子被束住，急欲挣脱，变得雄豪无比。诗人在后面的诗句中竭力渲染江水的险恶：一如雷电交加，风雨骤至，水族们都吓得急忙逃窜；巨龙搏击，漂船摆石，咫尺之间似要取人性命。韩愈诗风，造语奇奥，刚劲有力，把贞女峡流水之急、之险、之恶写到了极致，显示出高峡之水的自然野力。

76. 浪淘沙词[①]（选二）

刘禹锡[②]

九曲黄河万里沙，浪淘风簸自天涯[③]。
如今直上银河去，同到牵牛织女家[④]。

八月涛声吼地来，头高数丈触山回[⑤]。
须臾却入海门去[⑥]，卷起沙堆似雪堆。

[注释]

①《浪淘沙词》为作者在夔州所写的组诗，共九首，本书所选为第一首和第七首，分别描写黄河和长江，大气磅礴，生动自然。②刘禹锡：见本书第42篇《竹枝词》注释②。③浪淘：波浪淘洗。簸：掀翻。④同到：与过去到过银河的人一样来到牛郎织女家里。参见本书第27篇罗隐《黄河》注释⑥。⑤头：浪头。回：江水洄流。⑥海门：指江流两岸相对如门的山崖。因江水流经它入海，故称海门。

[赏析]

黄河、长江是中华民族的母亲河，孕育了灿烂辉煌的中华文明，历史上歌咏它们的文学作品不可胜数。刘禹锡的这两首《浪淘沙词》文笔简约却富于气势，读来令人心潮澎湃。

前词视野宏观，“浪淘风簸”突出的是黄河一泻千里、奔腾不息的动态美，而“九曲”、“万里”

则刻画了黄河蜿蜒回环、源远流长的静态美。接着诗人通过对天上牛郎织女的想像，在表现“黄河远上白云间”闲远仪态的同时，也更为古老的黄河增添了一层奇异的神话色彩。

后词表意的层次没有前词那么丰富，但主题却非常集中，就是表现长江磅礴豪迈的性格。作者以震动天地的涛声开头，在气势上先声夺人，摄人心魄。接着描写江水高达数丈的浪头，挟雷霆万钧之势奔涌入海，令人胆寒。这种壮阔豪迈的气势令人想起了苏轼笔下的“乱石穿空，惊涛拍岸，卷起千堆雪”的景象。“山”、“沙堆”作为陪衬的景物，从侧面烘托了长江一往无前的气魄，这些陪衬意象本身也是伟岸的，但是与更加雄伟的长江放在一起，就形成了一种更为广阔的壮美。

这两首词中的黄河、长江都被赋予了百折不挠、勇往直前的坚毅，它们是中华民族魂魄的象征。

77. 观涛

朱庆余[①]

木落霜飞天地清，空江百里见潮生。
鲜飙出海鱼龙气[②]，晴雪喷山雷鼓声。
云日半阴川渐满[③]，客帆皆过浪难平。
高楼晓望无穷意，丹叶黄花绕郡城[④]。

[注 释]

①朱庆余：生卒年不详，中唐诗人。本名可久，越州(今浙江绍兴)人。唐宝历年间进士，曾任秘书省校书郎。②鱼龙气：大风中有浓烈的鱼腥气。③川：内河。④丹叶黄花：红枫和黄菊。

[赏 析]

钱塘大潮气势壮阔，激荡人心。诗人首先交待季节时令，木落霜飞，秋

气清肃，正是钱塘大潮极盛之时。海潮汹涌而来，在宽阔的江面上奔腾咆哮，似有千军万马，气势非常壮伟。颈联描写海潮的具体景象，大风裹挟着浓烈的鱼腥味从海上猛吹过来，这是潮水到来的前奏，随后大潮转瞬即至，像雪山崩临一样，发出雷鸣般的巨响。从潮水

的形状，写到潮水的声音，诗人极力渲染其骇人的气势。不仅如此，潮水来的时候，喷珠溅玉，水气蒸腾，天空为之阴暗，海水倒灌，内河漫溢，行船已乘潮而过，而江上巨浪却尚未平息，极言潮水声势之大、时间之久。尾联笔锋突然一转，写自己在高楼远眺，只见杭州城中一片红枫黄菊，秋色如画，秀美悠闲，与雄伟的钱江大潮构成强烈对比，愈加衬托出钱塘大潮的壮阔，也具有色彩美的对比。

78. 百步洪[①]（二首选一）

苏轼

长洪斗落生跳波[②]，轻舟南下如投梭。
水师绝叫凫雁起[③]，乱石一线争磋磨[④]。
有如兔走鹰隼落[⑤]，骏马下注千丈坡[⑥]。
断弦离柱箭脱手[⑦]，飞电过隙珠翻荷[⑧]。
四山眩转风掠耳[⑨]，但见流沫生千涡。
险中得乐虽一快，何意水伯夸秋河[⑩]。
我生乘化日夜逝[⑪]，坐觉一念逾新罗[⑫]。
纷纷争夺醉梦里，岂信荆棘埋铜驼[⑬]。
觉来俯仰失千劫[⑭]，回视此水殊委蛇[⑮]。
君看岸边苍石上，古来篙眼如蜂窠，
但应此心无所住，造物虽驶如吾何[⑯]！
回船上马各归去，多言譊譊师所呵[⑰]。

［注 释］

①百步洪：在江苏省铜山县附近，为古黄河的一段。苏轼与友人舟游百步洪，作诗二首。诗前有小序，未选。②洪：为石所阻激、湍急而难以行舟的河流。斗：同“陡”。③水师：水手。绝叫：大声叫。凫（fú）：野鸭。④“乱石”句：船行乱流里，航路狭窄如线，四周乱石好像是争着来琢磨船身。⑤隼（sǔn）：猛禽，也叫鹘（hú），飞得很快，善于袭击其他鸟类。⑥注：自高处疾驰而下。⑦柱：琴瑟上用以支弦的小木柱。⑧隙：裂缝。⑨风掠耳：用骑快马觉耳后生风比喻乘快船的感觉。⑩水伯夸秋河：见《庄子·秋水》。⑪乘化：顺应自然变化。日夜逝：见《论语·子罕》。“子在川上曰：‘逝者如斯夫，不舍昼夜。’”⑫一念逾新罗：意谓意念转移不受空间限制。新罗：古国名，在今朝鲜境内。⑬荆棘埋铜驼：晋时索靖有远见，知天下将乱，指洛阳宫门铜驼说：“会见汝在荆棘中耳！”后用“荆棘铜驼”比喻世事变迁。⑭觉来：觉悟过

来。俯仰：指极短的时间。劫：佛家语，意谓长时间。古印度传说世界经历若干万年毁灭一次，重新再开始，这样一个周期叫一"劫"。⑮委蛇（yí）：安闲自得。⑯造物：大自然。这四句是说许多古人虽不存在，但如果能称心而行，自然运行虽快，也不能奈我何。⑰哓哓（náo）：争辩的声音。师所呵：为佛祖所呵斥。

［赏 析］

水是中华文化中最普遍、最具创造活力的意象。中国古代关于水的观念与华夏民族对宇宙的洞悉、对生命基本原则的认识、对人生的感悟，都有着不可分割的关联。苏轼的这首诗表现的是激流行船的亲身感受和由水引发的哲理思考，作品也以此划分出结构上的两个部分。

前十二句为第一部分，作者交替运用比喻、夸张、衬托等手法，表现在漩涡中冒险的乐趣。开头四句先描述长洪跳波、舟行乱流、水手绝叫、乱石磨船的情景，有声有色，给人以突兀惊警、险象环生的感觉，然后连用兔走鹰落、骏马注坡、飞箭脱弦、闪电过隙四个比喻，把在惊涛骇浪中行船的体验表现得淋漓尽致。而"四山眩转风掠耳，但见流沫生千涡"两句，则将视觉感受和听觉感受结合在一起，给人以美的快感和美的享受。接着用"河伯夸秋河"的典故，以反诘、调侃的语气，表示自己决不会因"险中得乐"而浅薄得像庄子笔下的河伯那样少见多怪、自夸自负，体现了老庄学说对作者的影响。这一部分侧重写景，但景中有情，带有鲜明的浪漫主义风格。后十二句为第二部分，侧重表现顺应自然、超然物外、遨游永恒的道家思想。"君看岸边苍石上，古来篙眼如蜂窠"，是以交谈的形式，借景抒怀，与读者作思想上的沟通，以反向为主要修辞方式，表达人生有限但应称心而行的观点。"觉来俯仰失千劫，回视此水殊委蛇"，是关键的两句，作者以被道家赋予道德意义的水的安闲自得，反衬王侯将相逞强好胜、争权夺利的徒劳无功和虚幻无常，强调心灵的超脱和自由，可谓缘"物"写"理"。虽然这"理"表现的是佛老的相对主义哲学观，具有唯心主义的成分，但却带有辩证法的因素，读者可以从中得到人生的启示。

79. 十七日观潮[①]

陈师道[②]

漫漫平沙走白虹[③]，瑶台失手玉杯空[④]。
晴天摇动清江底[⑤]，晚日浮沉急浪中[⑥]。

[注 释]

①十七日：农历八月十七、十八是钱塘江潮最为壮观的日子。②陈师道(1053—1102)，字履常，一字无己，号后山居士，北宋诗人，洪州分宁(今江西修水)人。早年师从曾巩，后与苏轼相过从。诗宗杜甫，受黄庭坚影响颇深，世称"黄陈"，为"江西诗派"代表诗人。③平沙：江边平坦的沙滩。走：奔跑、滚动。白虹：喻钱塘江潮。④瑶台：传说中指天上神仙居住的地方。⑤该句意为：滚滚钱塘江潮，使倒映在江水中的蓝天摇动不止。⑥该句意为：奔腾起伏的浪潮，使倒映在江水中的落日沉下又浮起。

[赏 析]

与平静的水相比，潮是特殊形态的水，它具有力度、气势和声威，呈现出阳刚、雄伟的美学风格。观潮在中国历代诗文中已成为一种文化现象。钱江秋潮是闻名世界的自然景观，许多作家和诗人都曾予以描绘，陈师道《十七日观潮》即是其中的优秀之作。诗歌描写钱塘江潮的势和力，视野开阔，比喻奇特，烘托巧妙；诗人的想像力一路高扬。诗歌第一句写潮头，只见潮头像一道奔腾的白虹，刹那之间铺满两岸沙滩。一个“走”字将潮水的势头和速度凸现得惊心动魄，令人如闻其声。第二句写水波浪花，作者将钱塘江潮掀起的水波浪花想像成天上的仙杯倾倒而下，碎银玉屑顿时四处奔突、飞溅。一、二句以比喻手法写潮水的气势，三、四两句则以天空和太阳来烘托潮水的力量。晴天在江底摇晃，晚日随起伏的江水载浮载沉，天地似乎被奔腾的潮水撼动了。如果说一、二句还仅是描写钱江秋潮凶猛的来势，三、四句则已将作者的主观感受与钱江秋潮的威猛之势融在了一起，读来似乎让人感觉整个世界都在摇晃。换言之，钱江秋潮真可谓惊天动地。

80. 念奴娇·过洞庭[1]

张孝祥[2]

洞庭青草[3]，近中秋、更无一点风色[4]。玉鉴琼田三万顷[5]，著我扁舟一叶[6]。素月分辉[7]，明河共影[8]，表里俱澄澈[9]。悠然心会[10]，妙处难与君说。

应念岭表经年[11]，孤光自照[12]，肝胆皆冰雪[13]。短发萧骚襟袖冷[14]，稳泛沧溟空阔[15]。尽挹西江[16]，细斟北斗[17]，万象为宾客[18]。扣舷独啸[19]，不知今夕何夕[20]。

[注 释]

①念奴娇：词牌名。洞庭：洞庭湖。②张孝祥(1132—1169)，字安国，号于湖居士，历阳乌江(今安徽和县)人，南宋爱国词人。主张恢复中原，反对隆兴和议，两度被弹劾落职。晚年退居芜湖，徜徉山水。有《于湖词》。宋孝宗乾道元年(1165年)，作者知静江府(治所在今广西桂林)，兼广南西路经略安抚使，次年因谗落职北归，这首词可能是路经洞庭湖时所作。③青草：青草湖，又名巴丘湖，即今洞庭湖东南部，为湘水所汇。古代洞庭湖和青草湖一北一南，两湖相连。④风色：风势。⑤玉鉴：玉镜。琼：美玉。用以形容湖面的莹澈。三万顷：极言其广阔。⑥著：同"着"，附着。⑦分辉：月将光辉分给湖水，湖水因月光而愈明。⑧明河：银河。共影：天上的银河和水里的银河竟无分别。⑨表里：从外到内。表指外界，里指内心。澄澈：明净，清澈。⑩悠然心会：悠然地领略湖光月色。悠然：形容领会的深透。⑪"应念"三句是回忆岭南对月的情景。岭表：五岭以外，指今广东、广西一带。经年：一年或一年多，指作者在静江府任上的时间。⑫孤光：月光。⑬肝胆皆冰雪：肝胆像冰雪一样洁白晶莹。这里有行事无愧于心的意思。⑭萧骚：萧疏，稀少。襟袖冷：指衣裳单薄。这句由回忆转向眼前。⑮泛：泛舟，荡舟。沧溟：沧海，这里指湖水。这句的意思是安稳地泛舟在空阔如海的湖面上。⑯挹(yì)：用勺子舀水。西江：西去的大江，指长江，洞庭湖在岳阳东北，通长江。

“挹尽西江水”本为禅宗话语，此处借以表明心胸开阔。⑰北斗：星座名，七星相连，状如长柄勺。细斟北斗：将北斗星当作酒器来饮长江之水。⑱万象为宾客：以天地万物为宾客，与之共饮。⑲舷：船的边沿。啸：撮口发出长而清越的声音。⑳不知今夕何夕：这是赞叹今夜的良辰美景。

[赏 析]

这首词写月夜泛舟洞庭，以物境衬托心境，以心境渲染物境，物境与心境辉映交融，既描绘了以水为主体的中秋洞庭的月夜景色，也展现出作者光明高洁的人格。

词分上下片。上片描写月光映照下的洞庭湖水面和水天一色、浩森开阔的意境。把浩瀚平静的湖水想像为辽阔而又空明澄碧的玉镜、玉田，比喻新颖，意境具有壮阔之美。接着用一句“表里俱澄澈”突出题旨，将描写重点转向泛舟湖上的心灵感悟。下片由回忆岭南孤月独赏的情景启笔，再写到眼前虽然夜气清冷，但仍安坐扁舟、啸傲江湖的情态，着意表现个人像冰雪一样晶莹高洁、光明磊落的心境。而“尽挹西江”三句，融用典、比喻、夸张三种辞格于一炉，想像奇特，气象阔大，具有李白、苏轼式的浪漫主义风格和气度，也把全词的感情推向高潮。物境（洞庭湖）的壮阔与抒情主人公高洁、豪迈的情怀得以完满地融为一体。

81. 菩萨蛮·书江西造口壁[①]

辛弃疾[②]

郁孤台下清江水[③]，中间多少行人泪[④]。西北望长安[⑤]，可怜无数山。青山遮不住，毕竟东流去。江晚正愁予，山深闻鹧鸪[⑥]。

[注 释]

①造口：今江西皂口，在江西万安县西南六十里处。②辛弃疾（1140—1207），字幼安，号稼轩，历城（今山东济南）人，一生以恢复中原为志。词为豪放派的代表，风格沉郁顿挫，悲壮激烈，与苏轼并称“苏辛”。③郁孤台：在今江西赣州西南。清江：指赣江。④行人：流离失所之人。⑤长安：汉唐首都，这里借指北宋都城汴京（今河南开封）。⑥鹧鸪：鹧鸪鸟鸣声凄切，如曰：“行不得也哥哥。”

[赏 析]

水能给人许多启迪，这首词的作者也借水来抒情言志。此词作于宋孝宗淳熙三年（1176 年），作者在江西提点刑狱公事任上。词以怀古开篇，用比兴手法反映作者渴望恢复中原的爱国热情，及其羁留南方、抑塞难平的苦闷。宋高宗建炎三年（1129 年），金兵南侵，直入江西，隆太后沿赣江南奔，在

造口弃船登陆，逃往赣州，当时金兵追太后御舟至造口。四十七年后，辛弃疾途经此地，想起从前金兵肆虐、人民受苦的情景，不禁忧伤满怀，抚今追昔，填了这首词。

辛弃疾生活的南宋，是个“忠而见疑，信而被谤”的时代，他毕生的心愿就是要北伐中原，恢复大宋江山的统一，所见之景常常会激发他的报国之志和悲愤之情。词人从赣江清澈的流水，联想到流离失所的人民的血泪，表达了对金兵罪行的控诉和对人民遭遇的同情。词人向着中原故土眺望，视线却被青山遮挡，但浩浩荡荡的江水仍冲破重重阻碍，奔腾而去。这既是眼前实景，又暗喻自己百折不回的意志，也把大江东去比作不可阻挡的历史潮流。那鸣声凄切的鹧鸪，也可看作由北方中原而“南归”的词人的自比，表达了羁留南方的无奈和无法收复中原的悲愤之情。这是一首充满了爱国主义精神的词作，较好地运用了比兴手法，笔笔言山水，处处有兴寄。

82. 单刀会[①]（节选）

关汉卿[②]

（正末关公引周仓上[③]，云[④]）周仓，将到那里也？（周云）来到大江中流也。（正末云）看了这大江，是一派好水也呵！（唱）

【双调新水令[⑤]】大江东去浪千叠，引着这数十人驾着这小舟一叶，又不比九重龙凤阙[⑥]，可正是千丈虎狼穴。大夫心别[⑦]，我觑这单刀会似赛村社[⑧]。

（云）好一派江景也呵！（唱）

【驻马听[⑨]】水涌山叠，年少周郎何处也[⑩]？不觉的灰飞烟灭，可怜黄盖转伤嗟[⑪]。破曹的樯橹一时绝[⑫]，鏖兵的江水犹然热[⑬]。好教我情惨切。（云）这也不是江水，（唱）二十年流不尽的英雄血！

［注 释］

①《单刀会》：全名《关大王独赴单刀会》，写三国时东吴大臣鲁肃设计宴请蜀将关羽，企图先礼后兵以要挟关羽还荆州。关羽单刀过江赴会，于席间挫败鲁肃。本文节选自该剧第四折。②关汉卿（生卒年不详），大都（今北京市附近）人，号已斋叟，元代著名戏剧家，一生写有六十多部剧本，现存有《单刀会》、《救风尘》、《窦娥冤》等。③正末：元杂剧角色名，扮演剧中主要男性人物，这里指关羽。周仓：关羽的忠实部将。上：登场。④云：说白。⑤双调新水令：曲牌名。⑥九重龙凤阙：指皇帝的宫殿，亦用以代指宫殿、朝廷。⑦别：特别，与众不同。一本作“烈”。⑧赛村社：旧时农村逢社日举行的迎神赛会。⑨驻马听：曲牌名。⑩周郎：指东吴都督周瑜。其时周瑜已病死，故云“何处也”。⑪黄盖：东吴将领。赤壁之战中曾献策火攻，并诈书降曹，用船冲入曹营纵火。伤嗟：伤感叹息，指黄盖阵亡事。⑫樯橹：船上的桅杆和桨，代指战船。⑬鏖兵：鏖战，激烈地战斗，苦战。犹然：依然，照旧。

[赏 析]

《单刀会》是根据民间流传的三国故事为题材而写的历史剧。

《三国志》的作者陈寿评论关羽、张飞“皆称万人之敌，为世虎臣”。关羽忠诚勇武、大义凛然的英雄形象，到宋、元时代，已经在民间传说中完全成型，关汉卿就是根据关羽的这些性格特征来进行描写的，人物形象塑造得极为生动鲜明。

本篇选录该剧第四折开头的这两段唱词配说白，以滔滔大江为背景，突出人物此时此境的心理感受，慷慨激昂，豪气逼人。前一段“双调新水令”写关羽触景生情，面对东去的大江，心潮澎湃。起句用夸张笔法，写长江的雄浑气势，借助千叠巨浪与一叶小舟、上朝廷与去虎穴、赴“鸿门宴”的紧张与看赛村社、赶集的对比，表现出关羽视死如归、虎穴狼巢若等闲的大无畏英雄气概。后一段“驻马听”则重在表现主人公在昔日战场睹景思人的伤感，抒发光阴荏苒而战事不休的激烈惨切的情怀，结尾一句将江水比作“二十年流不尽的英雄血”，蕴藉极为深沉。这两段唱词化用苏轼著名的《念奴娇·赤壁怀古》词意和《前赤壁赋》文意，感情跌宕起伏，意境雄浑壮阔，格调苍凉悲壮，加之采用适宜表现激越情感的“乜斜韵”，说唱结合，铿锵有声，慷慨豪放，壮怀激烈，强烈地表现了人物的丰富感情和豪迈气概。

83. 庐山瀑布谣（并序）

杨维桢①

甲申秋八月十六夜②，予梦与酸斋仙客游庐山③，各赋诗。酸斋赋《彭郎词》，予赋《瀑布谣》。

银河忽如瓠子决④，泻诸五老之峰前⑤。我疑天仙织素练⑥，素练脱轴垂青天。便欲手把并州剪⑦，剪取一幅玻璃烟⑧。相逢云石子⑨，有似捉月仙⑩。酒喉无耐夜渴甚，骑鲸吸海枯桑田⑪。居然化作十万丈，玉虹倒挂清冷渊⑫。

[注 释]

①杨维桢(1296—1370)，元代诗人，字廉夫，号铁崖，诸暨(今属浙江)人。其诗名擅一时，号“铁崖体”。②甲申：即元顺帝至正四年(1344 年)。③酸斋：名贯云石(1286—1324)，作者的诗友。④瓠子：此处为地名，即瓠子口，在今河南濮阳南。汉武帝元光三年(公元前 132 年)，黄河于瓠子口决口。⑤五老之峰：五老峰，为庐山峰名，有五峰耸立，是庐山胜景之一。⑥天仙：此处是织女。素练：白色的丝绸。⑦并州：州名，在今山西太原，其地产优质剪刀，以锋利著称。⑧玻璃烟：此处指清澈透明的瀑布飞起的烟雾。⑨云石子：作者的诗友贯云石，即小序中的“酸斋”。子，对男子的美称。⑩捉月仙：指唐代诗人李白。相传李白在当涂采石矶酒后泛舟长江，见江中月影，欲俯身捉取，竟溺水而仙去。⑪骑鲸：骑鲸背遨游于大海之上。李白曾自称为“海上骑鲸客”。⑫玉虹：白色的长虹，此处喻指瀑布。清冷渊：清冷的深潭。瀑布下一般有深潭。

[赏 析]

《庐山瀑布谣》描写庐山瀑布之奇景，驰骋想像，下笔如有神助，用语极尽夸张之能事，营造了一种梦幻般的效果，且有李白《望庐山瀑布》之神韵。

诗歌一开篇即有破空而来之势，将庐山瀑布比喻成突然决口而泻的银河，想像力飞扬，令人心胸为之震荡。接下来连番用喻，且夸张至极，用词也非常绮丽。先是承前文而取譬：前文既将庐山瀑布比喻成银河决口而泻，此处即顺承其想像，将庐山瀑布再喻为素练自青天脱轴而下，垂于天地之间。既有素练，作者便很自然地想到要拿一把并州剪，“剪取一幅玻璃烟”。“相逢云石子”句以下，作者让诗仙李白的身影隐约活动于诗歌的意境中。前文所取的比喻来自银河或天空，诗歌走笔至此，则变换角度，从“大海”处取譬，将庐山瀑布比喻成十万丈海水悬垂而下，如白色长虹倒挂于清冷之渊上。这种连用许多不同的比喻来描写同一个事物的手法，即为“博喻”。“博喻”的运用使全诗一气呵成而又大开大阖，气势酣畅淋漓，将庐山瀑布之奇景描绘得瑰丽横溢。

84. 登金陵雨花台望大江

高　启[1]

大江来从万山中，山势尽与江流东。钟山如龙独西上[2]，欲破巨浪乘长风。江山相雄不相让，形胜争夸天下壮。秦皇空此瘗黄金[3]，佳气葱葱至今王。我怀郁塞何由开，酒酣走上城南台[4]。坐觉苍茫万古意[5]，远自荒烟落日之中来。石头城下涛声怒[6]，武骑千群谁敢渡？黄旗入洛竟何祥[7]，铁锁横江未为固[8]。前三国，后六朝，草生宫阙何萧萧[9]。英雄乘时务割据，几度战血流寒潮。我生幸逢圣人起南国[10]，祸乱初平事休息。从今四海永为家，不用长江限南北。

[注 释]

①高启(1336—1374)，字季迪，号槎轩，又号青丘子。长洲(今江苏苏州)人。与杨基、张羽、徐贲合称"吴中四杰"，著有《青丘高季迪诗文集》。②钟山：即紫金山。③"秦皇"句：据《丹阳记》称，秦始皇埋金玉杂宝以压天子气，故名金陵。瘗(yì)：埋。④城南台：即雨花台。⑤坐：遂，因而。⑥石头城：故址在今南京市清凉山上，以形势险要著称。⑦黄旗入洛：三国时吴王孙皓听术士说自己有天子的气象，于是就率家人宫女西上入洛阳以顺天命。途中遇大雪，士兵怨怒，才不得不返回。此处说："黄旗入洛"其实是吴被晋灭的先兆，所以说"竟何祥"。⑧铁锁横江：三国时吴军为阻止晋兵进攻，曾在长江上设置铁锥铁锁，均被晋兵所破。⑨萧萧：冷落，凄清。⑩圣人起南国：指朱元璋从南方起家。圣人：我国封建时代对皇帝的尊称。

[赏 析]

本诗作于洪武二年(1396年)，诗人正应征参加《元史》的修撰，当时正值明代开国之初。诗人胸负理想，要为国家做一番事业。当他登上金陵雨花台，眺望滚滚东去的长江时，不禁触景生情，吊古思今。既有对新朝的颂扬，

又有从历史中产生的忧患之情。

诗的开头描写眼前的实景：长江从万山中呼啸东下，钟山似蟠龙乘风西上。江山形胜，使诗人想起当初秦始皇曾在此地埋下金玉杂宝，以镇压金陵的“天子之气”，但金陵依然“王气”旺盛，如今又成了新建立的朱明王朝的都城。接着诗人笔峰一转，写自己的心绪和感慨。诗人是为了排遣胸中的郁塞而在酒后登台眺江，“荒烟落日”的远景引发了他的“苍茫万古意”，石头城下的涛声使他想起了三国、六朝的旧事。如今自三国东吴建都以来的六朝宫殿，都已杂草丛生，残败破落，那些妄想凭藉长江天险割据一方的“英雄”，只能让鲜血洒满大地，给百姓带来灾难，最终却一无所得。这些历史的教训使诗人油然而生忧患之情。最后四句又回到现实，诗人歌颂朱元璋平定天下，休养生息，从此四海一家，不再因长江而分割南北。

此诗大开大阖，气势磅礴，极其沉郁顿挫。结尾明为歌颂，实怀隐忧，居安思危，为明代诗歌中不可多得的精品。

85. 临江仙

杨 慎[1]

滚滚长江东逝水，浪花淘尽英雄。是非成败转头空。青山依旧在，几度夕阳红。

白发渔樵江渚上[2]，惯看秋月春风。一壶浊酒喜相逢。古今多少事，都付笑谈中。

[注 释]

①杨慎(1488—1559)，明代文学家，字用修，号升庵，四川新都人。他的生活年代比《三国演义》的作者罗贯中晚。清初，毛宗岗父子把这首词置于《三国演义》卷首，因而广为流传。②渚：水中小洲。

[赏 析]

杨慎这首词，有人认为是"明词第一"。它由于小说《三国演义》而得以广泛流传，特别是电视连续剧《三国演义》将其作为主题歌词，更获得了广大读者(观众)的喜爱和共鸣。词分上下两片。上片首二句脱胎于苏轼词"大江东去，浪淘尽，千古风流人物"，但基调不像苏词那样豪迈，流露出的是天地流水永恒而人生充满变幻的情绪。与长流不息的江水相比，人间的是非成败，英雄的业绩名声，都显得短暂而又微不足道。"青山依旧在"是"不变"，"几度夕阳红"是"变"，人生历史就是在变与不变的对立中演进。下片中的"白发渔樵"，可以理解成活动于江边的人物，也可以想像为长江流水所化作的具有道家色彩的达观老人，他们看惯了人世间的变迁，用旁观社会人生的超脱心态，笑谈古今，品评历史。同样是写长江，文学家与历史学家不同。在历史学家看来，人(英雄)是历史的主体，长江只是历史人物活动的地理场所。而在诗人、作家眼中，长江本身就具有人的性格、人的感受。在这首词中，江水滚滚滔滔，不仅是历代英雄豪杰的见证人，也是历史精神的思

考者，充满睿智和超越。其体会含有历史人生的悠远回味，不过，其中或多或少地带有对现实人生的失望和疏远。这种情绪的确不够昂扬，但是，用历史唯物主义的观点看，应当理解产生此类感受的社会原因。而且，在人类的审美历史中，由流水永恒所引发的人生易逝的感受是大量存在的。今人应当在理解前人的基础上努力超越前人。

86. 海览[①]（节选）

屠 隆[②]

放舟桃花津，顺流东下，登侯清山，踞蛙柱峰，扪潮音洞[③]，乘流送目，陡觉东南天地大荒，寥廓开朗，奣灏漾[④]。金鸡虎蹲，两山对峙奔腾峡口，蛟门峡东谽谺鼓怒[⑤]，巨涛摧�[⑥]，六合撼顿[⑦]。夜宿佛阁上，通宵闻大风雷声，或如万面战鼓，訇訇而来[⑧]，疑遂卷此山去，令我眇焉四大[⑨]，掷于何所？其上挂扶桑蟠木[⑩]，与阳乌亲乎[⑪]？其下撞蛟宫水府，与龙子友乎？听其所之，靡弗愉快，心魂怳荡[⑫]，数惊数喜，双睫不复交。

……

已遂乘孤舟，浮渺茫，绝东行，鸟迅入疾，瞬息千里。蝤蜃鳣鲸[⑬]，横波而跋浪；鹈鹕海凫[⑭]，翔风而鸣雨；蛏蛤螺蚌[⑮]，依沙而走穴；天吴川后[⑯]，按节而扬旍[⑰]；舟在大波中，蓬蓬天上，无处可著，澒洞砰湃[⑱]，邈隔神州，远近诸岛，历历来献，大者如拳，小者如粟，日本三韩琉球咫尺矣[⑲]。遥睇梅岑，想梅子真炼药石室[⑳]，葱茜哉[㉑]！再眺马秦桃花诸山，问安期生脱玉舄还栖隐处[㉒]，飘然欲往。黑嶕既过[㉓]，赤桥来迎，秦皇帝使神人鞭石，石为流血，事太荒唐，始皇虽无道，亦一时共主，故海岳诸神灵所宗，容有之矣。再望东霍山，徐市楼船[㉔]，去而不返，童男女三千安在？昔人所传蓬莱三岛，非近非远，近则几席，远则万里，夙有仙骨，呼吸可至，金堂玉室，灵药瑶草，斑驎紫麏[㉕]，实有非幻，所以天风吹之而去，为夫凡胎秽器耳。舟抵洛伽，又名普陀，又名小白华山，观音大士道场在焉。山西折有观音洞，洞深黑窈窱[㉖]，中空擘开，怒涛日夜搊击，龙啸虎吼。又西有善财洞，石峰峭啮，足似断而悬。北折有盘陀石，嵌空刻露轩翥[㉗]，坐其上可望岛夷诸国，崇刹高栋，兀立波中。撞钟者鼓，与海涛响应，栖真学道者，面壁其间，永与人世隔绝哉。

［注 释］

①本文选取了原文的第一段与第三段。②屠隆(1541—1605)，明代戏

曲家、文学家。字长卿，号赤水，鄞县（今属浙江）人。③潮音洞：在浙江普陀山紫竹林内、龙湾之麓。洞为山石裂罅所成，从崖至脚高数十米，耸起于沙滩中。因洞窟日夜吞吐海潮，有如雷音，故名。④滃（wěng）然：天色清明。灏漾：水无边际的样子。⑤谽（hān）谺（xiā）：山崖幽深。鼓怒：鼓荡发怒。⑥摧磢（chuǎng）：碰撞。⑦六合：东西南北四方和天地称为六合。撼顿：撼动。⑧訇（hōng）訇：同“轰轰”，形容大声。⑨眇：同“秒”，微小。四大：道教所称的道、天、地、王（亦作人）。⑩扶桑：神话中的树木名。蟠木：根干盘曲的树木。⑪阳乌：太阳，传说太阳中有三足乌，故名。⑫怳荡：恍惚，神思不定。怳：“恍”的异体字。⑬蝤（jiū）：蝤蛑，即梭子蟹。蜃：大蛤。鳣（zhān）：鲟鳇鱼。⑭鹈鹕：别称塘鹅、河鸟，下颌底部有一喉囊，可用于兜食鱼类。海凫：海鸭。⑮蛏（chēng）：软体动物，有两扇形状狭长的介壳，生活在近岸的海水里。蛤（gé）：蛤蜊，贝类动物。⑯天吴：古代传说中的水神。川后：即河伯，水神。⑰旍：同“旌”。⑱澒（hóng）洞：弥漫无际。砰湃：同“澎湃”，形容波浪相互撞击。⑲三韩：朝鲜的代称。琉球：琉球群岛。⑳梅子真：即梅福，汉代九江寿春人，曾任南昌尉，王莽篡政后，弃妻离家，在普陀山炼药，成仙而去，故普陀山别称梅岑。㉑茜：茜草，多年生草本植物，根可做红色染料。㉒安期生：先秦方士，汉武帝曾派遣使者入海寻求安期生生存过的地方。舄（xì）：鞋。㉓嶕（jiāo）：高大的礁石。㉔徐市：即徐福，秦方士，曾带领童男童女数千人，为秦始皇出海求长生之药。㉕斑驎紫麏（jūn）：传说中的良马名。㉖窈寥：即“窈窕”，深远的样子。㉗轩翥：飞举的样子。

［赏 析］

作者乘舟到普陀山观海，当夜宿岛上。第一段主要写夜宿的感受。两座山峰并立，形成峡口，水石相击，巨浪滚滚，风雷阵阵，整座山似乎都要被海浪卷走。在如此凶险的境地，作者却能感受到一种逍遥自在的喜悦，所谓“听其所之，靡弗愉快”。另一段写第二天早晨作者出海远游之所见所想，这是一个远离尘世的仙界，飘渺而又神奇。在汪洋一片的水世界里，可以见到大大小小的岛屿、迅疾而过的飞鸟、各种奇异的水族，如此幻境，不能不让人浮想联翩。文章用很大的篇幅写古代的神话与传说，更添几分神异。

本篇所咏之水，充满神奇色彩，这与屠隆的道家思想是密切相关的。屠隆步入仕途后不久就遭到陷害，官场失意，晚年信奉道教，以寻求精神上的归宿。故而屠隆眼中的大海，才成为了这样一个可以自由自在地逍遥漂游的奇异世界。

87. 五泄[1]

袁宏道[2]

一

越人盛称五泄，然皆闻而知之，陶周望虽极言五泄之好[3]，其实不曾亲见，与我等也。发郡城凡二里至诸暨县，县去五泄尚七十余里，次日始行，一路多顽山，无卷石可入目者。余私念：看山数百里外，敝舟羸马，艰辛万状，今诸山态貌若此，何以偿此路债？周望亦谓乃弟："余辈夸张五泄太过，若尔，当奈中郎笑话何？"独静虚以为不然[4]。顷之，至青口，两山夹天如线，山石玲珑峭削，若叠若镂。数里一壁，潭水滑滑流壁下[5]。一壁上有古木一株，土人云是沉香树，一年一花，猿猱所不到。其他非奇壁，则皆秾花异草，幔山而生，红白青绿，灿烂如锦。映山红有高七八尺者，与他山绝异，因相顾大叫曰："奇哉，得此足偿路债，不怕袁郎轻薄也。"王静虚曰："未也，尔辈过小小丘壑，便尔张皇如是，明日见五泄，当不狂死耶？"静虚曾习定五泄三年，以是知之极详。余与公望闻之，喜甚，皆跳吼沙石上。缓步十余里，始至五泄僧房。静虚曰："牛羊下矣[6]，五泄留供来日朝餐。"因散步前山，沿溪而行，两山一溪，比青口天尤狭，而奇峭率相类。山形或如炉、如钟鼓、如屏障剑戟，皆拔地而生，溪旁天竹成林[7]。行数里，遇一白须人云：前山有老虎。同行皆心动，寻旧路而归。

二

五泄水石俱奇绝，别后三日，梦中犹作飞涛声，但恨无青莲之诗、子瞻之文，描写其高古濆薄之势为缺典耳⑧。石壁青削似绿芙蕖，高百余仞，周迴若城，石色如水浣净，插地而生，不容寸土。飞瀑从岩颠挂下，雷奔海立，声闻数里，大若十围之玉，宇宙间一大奇观也。因忆会稽赋有所谓"五泄争奇于雁荡"者⑨，果尔，雁荡之奇，当复如何哉。暮归，各得一诗，余诗先成，濆石篑次之，静虚、公望、子公又次之⑩。所目既奇，诗亦变幻恍惚，牛鬼蛇神⑪，不知是何等语。时夜已午，魈呼虎号之声如在床几间⑫，彼此谛观，须眉毛发，种种皆竖，俱若鬼矣。

三

一二三四等泄，俱在山腰，五级而下，飞涛走雪与第五泄率相类。山路甚险巇⑬，余等从山颠下观之，时，新雨后，苔柔石滑，不堪置足，一手拽树枝，一手执杖，踏人肩作磴，半日始得那一步⑭，艰苦万状。山僧云：自此往富阳便是平地⑮，不复下岭。五泄或作五雪，亦佳。

[注　释]

①五泄：在浙江省诸暨县西的五泄山上，是浙江著名风景区之一。②袁宏道（1568—1610），明代文学家，字中郎，号石公，公安（今湖北省公安县）人。与兄宗道、弟中道，并称"二袁"，被称为"公安派"。③陶周望，陶望龄，字周望，号石篑，会稽人。万历中进士，授编修，不久便告归家居。④静虚：即王静虚。⑤滑（gǔ）滑：泉涌貌。《易林》："泉涌滑滑。"⑥牛羊下矣：指天色已晚，天晚牛羊下山归家。⑦天竹：亦称南天竹，常绿灌木，春夏开白色小花，果实红色。⑧濆薄：涌出。左思《吴都赋》："濆薄沸腾。"⑨会稽赋：指王十朋的《会稽风俗赋》。⑩公望：陶公望。子公：王子公。⑪牛鬼蛇神：比喻怪诞。⑫魈（xiāo）：旧指山中怪物。⑬险巇（xī）：险峻危险。⑭那：通"挪"，移动。⑮富阳：今浙江富阳。

[赏　析]

五泄瀑布位于浙江省诸暨县西的五泄山上，在郦道元的《水经注》里有

详细的记载。历代的文人墨客，如宋代的杨万里、王十朋、陆游，元代的杨铁崖，明代的陈洪绶、徐渭、袁宏道、宋濂、徐霞客等，都曾来此游览，并留下诗文。明人张岱曾说："古人记山水手，太上有郦道元，其次柳子厚，近时袁中郎。"袁宏道认为，山水相得，泉石皆活，才能显出天然之趣。适合这样的条件，而又兼有雄伟之美，那就只有山间瀑最为理想了，因此，袁宏道既爱瀑布，也善于表现瀑布之美，凡游记中描写瀑布之处，都精心刻镂，形象生动，文采可观。本文就是一篇写瀑布的美文。

本文对五泄的景物和游者的活动情况，都作了生动、细致的描写。第一部分写作者早听闻五泄之好，但沿途山石峭削，一路上艰辛跋涉，却始终未见五泄，欲扬先抑，为次日见五泄作铺垫。第二、三部分直接写五泄，突出五泄的奇绝。作者首先关注到五泄声势宏大，"雷奔海立，声闻数里"，以至于"别后三日，梦中犹作飞涛声"，以山石的陡峭来衬托五泄的奇绝。同时，作者借几位友人的赋诗"变幻恍惚，牛鬼蛇神"，以及夜宿山间"魈呼虎号之声如在床几间"的恐怖气氛的烘托渲染，还有对"艰苦万状"的登攀境况的描述，表现了五泄山水的峻美。这种美感给读者带来的不只是愉悦的情感，而且伴随着恐惧、惊叹、赞美等性质的情绪和情感。

明代中后叶，受资本主义生产方式萌芽、市民阶层崛起和阳明心学激荡诸方面的影响，文学领域也出现了新的思潮，袁宏道提倡"独抒性灵，不拘格套"的"性灵说"，涤荡了文坛沉闷的复古之风。这篇游记既不取郦道元山水游记式的纯客观的记写，亦不取唐、宋人山水游记的写景寓情或借景寓理，而是得之自然，任性而发，直抒胸臆，不加掩饰地表达着个人内心的喜怒哀乐。

88. 游白水河瀑布日记[①]（节选）

徐霞客[②]

二十三日，雇短夫遵大道南行[③]。二里，从陇头东望双明西岩[④]，其下犹透明而东也。洞中水西出流壑中，从大道下复西入山麓，再透再入[⑤]，凡三穿岩腹，而后注于大溪。盖是中洼壑[⑥]，皆四面山环，水必透穴也。又南逾阜[⑦]，四升降，共四里，有堡在南山岭头。路从北岭转而西下，又二里，有草坊当路，路左有茅铺一家。又西下，升陟陇壑，共七里，得聚落一坞，曰白水铺，已为中火铺矣[⑧]。又西二里，遥闻水声轰轰，从陇隙北望，忽有水自东北山腋泻崖而下，捣入重渊，但见其上横白阔数丈，翻空涌雪，而不见其下截，盖为对崖所隔也。复逾阜下半里，遂临其下流，随之汤汤西去[⑨]，还望东北悬流，恨不能一抵其下。担夫曰："是为白水河[⑩]。前有悬坠处，比此更深。"余恨不一当其境，心犹慊慊[⑪]。随流半里，有巨石桥架水上，是为白虹桥。其桥南北横跨，下辟三门[⑫]，而水流甚阔，每数丈，辄从溪底翻崖喷雪，满溪皆如白鹭群飞，"白水"之名不诬矣[⑬]。度桥北，又随溪西行半里，忽陇箐亏蔽[⑭]，复闻声如雷，余意又奇景至矣。透陇隙南顾，则路左一溪悬捣，万练飞空，溪上石如莲叶下覆[⑮]，中剜三门[⑯]，水由叶上漫顶而下，如鲛绡万幅[⑰]，横罩门外，直下者不可以丈数计，捣珠崩玉，飞沫反涌，如烟雾腾空，势甚雄厉，所谓"珠帘钩不卷，匹练挂遥峰"，俱不足以拟其壮也。盖余所见瀑布，高峻数倍者有之，而从无此阔而大者，但从其上侧身下瞰，不免神悚[⑱]。而担夫曰："前有望水亭[⑲]，可憩也。"瞻其亭，犹在对崖之上，遂从其侧西南下，复度峡南上，共一里余，跻西崖之巅。其亭乃覆茅所为，盖昔望水亭旧址，今以按君道经[⑳]，恐其停眺，故编茅为之耳。其处正面揖飞流，奔腾喷薄之状，令人可望而不可即也。停憩

久之，从亭南西转，涧乃环山转峡东南去，路乃循崖石级西南下。

[注 释]

①本文节选自《徐霞客游记·黔游日记一》，题目为编者所加。白水河瀑布，即今贵州省镇宁县境内的黄果树瀑布。②徐霞客(1586—1641)，明代著名地理学家、作家，名弘祖，字振之，号霞客，南直隶常州府江阴县南阳岐(今江苏江阴)人。其著作《徐霞客游记》融科学精神和审美趣味于一体，极具地理学价值和文学价值。③二十三日：明崇祯十一年(1638年)四月二十三日。遵：沿着。④双明：指镇宁城南的双明洞，洞东西两门穿透，由此而得名。⑤再透再入：水接连从山脚渗出穿入。⑥中洼鋈：中间凹下的山鋈。⑦阜：山冈。⑧中火铺：供行人中途做饭歇脚的驿站。⑨汤汤(shāng)：大水急流的声音。⑩白水河：发源于今贵州西部，往南注入北盘江。白水河流经黄果树一段，因河床断落，形成大小不等的九级瀑布。⑪慊慊(qiàn)：遗憾，不满。⑫三门：指三个桥洞。⑬不诬：即名副其实，不是毫无根据的哄骗。诬：欺骗。⑭箐(jīng)：一种竹子。亏蔽：指遮天蔽日。⑮溪上石如莲叶下覆：指由于河水中含有丰富的碳酸钙，在石壁上产生的较广厚的钙化层。⑯中剜三门：在黄果树瀑布左侧，有水帘洞，洞中靠近瀑布的石壁被水溶蚀，呈三个大孔，犹如天窗。⑰鲛绡：传说是海中的鲛人织成的薄而透明的丝织品。鲛人：神话传说中海里的鱼人。⑱神悚(sǒng)：恐惧，心悸魄动。⑲望水亭：即观瀑亭，在黄果树瀑布对面的崖壁上。⑳按君：对巡按的尊称。

[赏 析]

本文堪称古人描写黄果树瀑布的最具体、最生动的文字，可谓“历前人所未历之境，状前人所难状之状”。白水河流经黄果树地段时，因河床断落，形成九级瀑布。黄果树瀑布是其中最大的一级。文章由远而近、由浅而浓、由隐约而分明地表现瀑布的壮美景观，声情并茂，气势磅礴。作者从不同的层面展现景物远近、高低的形态变化，以“遥闻”其声、“从陇隙北望”、“为对崖所隔”、“复闻声如雷”、“透陇隙南顾”等词句为线索，描写水石相击、声如巨雷的瀑声，使人如临其境、如闻其声。文章着力突出黄果树瀑布不同于一般瀑布的两个特点：一是壮伟阔大，二是洁白明净。

89. 白洋潮[①]

张　岱[②]

故事[③]，三江看潮[④]，实无潮看，午后喧传曰："今年暗涨潮。"岁岁如之。

庚辰八月[⑤]，吊朱恒岳少师[⑥]，至白洋，陈章侯、祁世培同席[⑦]。海塘上呼看潮[⑧]，余遄往[⑨]，章侯、世培踵至[⑩]，立塘上。见潮头一线从海宁而来[⑪]，直奔塘上。稍近，则隐隐露白，如驱千百群小鹅，擘翼惊飞[⑫]。渐近，喷沫冰花蹴起，如百万雪狮蔽江而下，怒雷鞭之，万首镞镞，无敢后先[⑬]。再近，则飓风逼之，势欲拍岸而上。看者辟易[⑭]，走避塘下。潮到塘，尽力一礴，水击射溅起数丈，著面皆湿。旋卷而右，龟山一挡，轰怒非常，炮碎龙湫[⑮]，半空雪舞，看之惊眩，坐半日，颜始定。

先辈言浙江潮头自龛、赭两山漱激而起[⑯]。白洋在两山外，潮头更大，何耶？

［注 释］

①本文选自《陶庵梦忆》卷三。白洋：山名，又名龟山，在浙江绍兴西北，濒海。②张岱(1597—1679)，字宗子，又字石公，别号陶庵，山阴(今浙江绍兴)人，晚明小品文代表作家，一生未仕。著有《陶庵梦忆》、《西湖寻梦》等。③故事：旧例，旧俗。④三江：在浙江绍兴市北、曹娥江之西，为防御海寇要地，明朝建有三江卫所。⑤庚辰：明崇祯十三年(1640 年)。⑥朱恒岳：即朱燮元，进士出身，崇祯年间进少师。⑦陈章侯：即陈洪绶，号老莲，明末清初著名画家。祁世培：即祁彪佳，字虎子，明末著名剧评家。⑧海塘：防御海潮的堤坝。⑨遄(chuán)：迅速地。⑩踵至：接踵而至。⑪海宁：今浙江省海宁市，南临杭州湾，沿海有坚固的海塘工程。⑫擘(bò)翼：张开翅膀。⑬镞镞：同"簇簇"，形容浪头攒聚在一起。⑭辟易：惊退。⑮龙湫：瀑布。⑯龛：龛山，属绍兴。赭：赭山，属海宁。两山在钱塘江中南北对峙，为钱塘江门户。漱激：冲刷激荡。

［赏 析］

崇尚和追求水的自然之美，是华夏民族审美最重要的特征之一。汹涌澎湃的海潮往往给人以惊心动魄的审美快感。张岱的这篇小品，以酣畅的笔墨，淋漓尽致地再现了不同于海宁潮（钱塘潮）的白洋潮惊涛骇浪的情景，使人如置身海塘，亲身感受其磅礴宏大的气势。

作者开篇似有意让读者扫兴——“三江看潮，实无潮看”，且“岁岁如之”。孰料这年八月“海塘上呼看潮”，不同往常，而“余遄往，章侯、世培踵至”则表现了观潮者急切的心情。这是用的是先抑后扬的手法，意在突出白洋潮的难得一现。接下来便集中笔墨表现涌动的海潮，“潮头一线”，“隐隐露白”，是远景，写视觉感受，然后连用群鹅惊飞、雪狮怒吼的比喻，由形而声，把潮奔浪涌的气势和涛声如雷的轰响生动地表现出来。以下再写风助潮势，潮借风力，拍岸而上，观者惊退，这样由“远”到“稍近”到“渐近”到“再近”，按序写来，极有层次感。作者选用极富动感和表现力的“奔”、“驱”、“擘”、“飞”、“蹴”、“逼”等动词，加上简短的句式、急迫的语气，更是造成一种浪涌涛卷的气氛。紧接着描述海潮撞击堤坝，壁立水面，溅激人面的场面，再写旋卷的回潮因龟山的阻挡而怒涛惊竖、散漫半空，使人心惊目眩的情景，把文章推向高潮。读到这里，读者往往会将白洋潮和举世闻名的钱塘潮混同起来，所以作者在结尾处，引述“先辈”关于钱塘潮产生原因的言谈，再对白洋潮的出现提出质疑，既区分了二者，又耐人寻味。

90. 咏滇池长联[①]

孙　髯[②]

五百里滇池，奔来眼底。披襟岸帻[③]，喜茫茫空阔无边！看东骧神骏[④]，西翥灵仪[⑤]，北走蜿蜒[⑥]，南翔缟素[⑦]。高人韵士[⑧]，何妨选胜登临。趁蟹屿螺洲[⑨]，梳裹就风鬟雾鬓[⑩]；更苹天苇地[⑪]，点缀些翠羽丹霞[⑫]。莫辜负四围香稻[⑬]，万顷晴沙[⑭]，九夏芙蓉[⑮]，三春杨柳[⑯]。

［注 释］

①本篇为清代诗人孙髯所撰昆明大观楼长联的上联，咏滇池及其四周景物，题目为编者所加。滇池：又名昆明湖，在昆明市西南，面积297平方公里。大观楼：在今昆明市大观公园内，南临滇池。初建于清康熙三十五年(1696年)，楼前悬挂孙髯长联，为昆明名士陆树堂用行书书写刊刻，楼于清咸丰七年(1857年)

毁于战火。现在的大观楼为清同治五年(1866年)所建，长联是清光绪十四年(1888年)由云南剑川人赵藩重写。②孙髯(约1711—1773)，字髯(rǎn)翁，号颐庵，清代民间诗人，原籍陕西三原，后定居昆明。一生勤奋，著述甚丰，最著名的作品是题昆明大观楼楹联，素有“天下第一长联”之称。③披襟岸帻(zé)：敞开衣襟，推高头巾。岸：头饰高戴以露出前额。帻：古时的一种头巾。④东骧神骏：东面的金马山像骏马昂举。神骏：指昆明东面的金马山，相传山上有金马隐现。⑤西翥灵仪：西面的碧鸡山像凤凰飞起。翥(zhù)：(鸟)向上飞。灵仪：指昆明西面的碧鸡山，相传有凤凰鸣其上，当地人谓之碧鸡，凤凰是灵禽，凤凰来仪，故称灵仪。⑥北走蜿蜒：北面的蛇山像蛇一样弯曲延伸。蜿蜒：蛇爬行的样子，这里指昆明北面的蛇山。⑦南翔缟素：南面的白鹤山像白鹤飞翔。缟素：缟、素都是白色，指昆明南面的白鹤

山。⑧高人韵士：志趣、品行高尚的人。⑨蟹屿螺洲：指滇池中形状如蟹似螺的小岛或小沙洲。⑩梳裹就风鬟雾鬓：摇曳多姿的垂柳梳妆出蓬松的高髻和薄雾般的双鬓。⑪苹天苇地：极言苹、苇之多。苹：蕨类植物，生在浅水中。⑫翠羽：翠绿色的鸟雀。丹霞：红色的云霞。⑬四围香稻：滇池周围得水利之惠，多稻田。⑭晴沙：阳光下的沙滩、沙洲。⑮九夏芙蓉：夏季三个月计九十天，故称九夏。⑯三春：旧称阴历正月为孟春，二月为仲春，三月为季春，合称"三春"。

[赏析]

滇池是镶嵌在云贵高原上的一颗璀璨的明珠，是养育昆明人的母亲湖，也是孕育滇文化的摇篮。古往今来，吟咏滇池的诗文不胜枚举，最著名的莫过于孙髯为南临滇池的大观楼所题的长联。本篇所选的是描写滇池及其四周景物的上联，在咏滇池的诗文中最为人称颂。

作者以"五百里滇池，奔来眼底"启笔，用夸张笔法极言滇池的空阔浩淼。极有力度的"奔"字，使整个画面呈现出动感。接下去的"披襟岸帻，喜茫茫空阔无边"，先以动作表现登楼者登高揽胜的神情形态，再点明使登楼者心旷神怡的原因。滇池在诗人眼中具有大海般的壮阔和气势磅礴。但是，滇池与海不同的是，它的周围有群山环绕。以下四句，以一个带有主观意识的"看"字领起，用比拟、借代、排比等手法，赋四周山峦以生命活力，而动词"骧"、"翥"、"走"、"翔"的运用，既切合所描写的山的形态特征，又与开头的"奔"字呼应，使山水景物"皆著我之色彩"（王国维·《人间词话》）。如果说以上描写大观楼与滇池所处的四方地理环境，呈现出的是动态的写意画般的壮美，那么"高人韵士，何妨选胜登临"之后对滇池周边景物的刻画，则拓宽了水之美的境界：作者采用比喻、拟人、衬托等修辞，描画湖中洲屿点点，岸上树木葱茏，湖边良田沃野，垂柳摇曳多姿，苹苇与绿鸟、红霞相互映衬，组成了绚丽多彩的图画。最后以喜悦的心情颂扬滇池丰饶的物产、绮丽的景色和怡人的气候。在诗人笔下，滇池呈现出雄壮开阔而又绚丽的美。

91. 澜沧江[1]

赵　翼[2]

绝壁积铁黑[3]，　路作之字折[4]。
下有百丈洪，　怒喷雪花热[5]。

[注 释]

①澜沧江：我国西南地区大河之一，发源于青海唐古拉山，流经云南西部，在西双版纳出境。以下称湄公河，流经缅甸、老挝、泰国、柬埔寨等地，至越南南部入南海，是世界第六大河。②赵翼(1727—1814)，清代文学家、史学家。字云崧，一字云松，号瓯北，江苏阳湖(今常州市)人。③积铁黑：像聚铁那样发黑。④之字折：像"之"字那样曲折。⑤雪花：形容雪白的浪花。

[赏 析]

澜沧江是我国西南地区大河之一，在古代山水诗文中较少出现。清代著名诗人赵翼在清乾隆三十一年(1766 年)被任命为广西镇安知府，三十三年(1768 年)五月，奉调至云南，参加对缅甸的军事行动，至次年五月才返回任所。赵翼途中所见，都以诗记之，写下了不少西南边塞诗。

这首诗短短 20 个字，形象地刻画了澜沧江的奇险景色。诗歌以陡峭绝

壁与曲折的道路作为衬托，突出了澜沧江地势奇险、江流湍急的特点。随着视线的自上而下，黑色的绝壁、曲折的道路、高下悬殊的落差、汹涌的江水，共同构成了一幅壮丽奇险的图景。黝黑的绝壁与雪白的浪花，“雪花”的冷与怒喷的热，形成鲜明的对比。诗歌押入声险韵，多用入声字，音调急促，也从表达形式上配合了景色奇险的特点，增强了诗歌的艺术表现力。

赵翼写西南边塞之景的诗还有《高黎贡山歌》、《洱海》等。赵翼一生游迹遍天下，所以有人说他的诗得山水之助，诚如他同时代诗人所称赞的那样：“人从绝徼干戈健，诗向蛮乡瘴疠雄”（程沆）；“诗传后世无穷日，吟到中华以外天”（范起凤）。他的诗反映了我国大西南的奇异风光和风土人情，极大地开阔了清人的视野，为清代边塞诗拓宽了题材，促进了清代边塞诗的繁荣。

92. 后观潮行

黄景仁[①]

海风卷尽江头叶，　沙岸千人万人立。
怪底山川忽变容[②]，　又报天边海潮入。
鸥飞艇乱行云停，　江亦作势如相迎。
鹅毛一白尚天际[③]，　倾耳已是风霆声。
江流不合几回折，　欲折涛头如折铁。
一折平添百丈飞，　浩浩长空舞晴雪。
星驰电激望已遥，　江塘十里随低高。
此时万户同屏息，　想见窗棂齐动摇。
潮头障天天亦暮，　苍茫却望潮来处。
前阵才平罗刹矶[④]，　后来又没西兴树[⑤]。
独客吊影行自愁，　大地与身同一浮。
乘槎未许到星阙，　采药何年傍祖洲[⑥]。
赋罢观潮长太息，　我尚输潮归即得。
回首重城鼓角哀，　半空纯作鱼龙色[⑦]。

［注 释］

①黄景仁(1749—1783)，字汉镛，一字仲则，自号鹿菲子，江苏阳湖(今常州)人，自称黄庭坚后裔。清代著名诗人。②怪底：惊怪。③鹅毛：指远来的潮头，谓潮来时远处只见一线白痕。④罗刹矶：罗刹石，在杭州西南。⑤西兴：西兴镇，在浙江省萧山县内。⑥祖洲：传说中的仙岛。⑦鱼龙色：夜色。

［赏 析］

钱塘观潮是许多人写过的题材了。本诗作者19岁时观钱塘潮，写下脍

炙人口的《观潮行》和《后观潮行》两首姊妹篇，描写了钱塘潮的景象和观潮盛况。与《观潮行》多侧面渲染烘托不同，《后观潮行》更多的是正面描写。诗歌先交待了观潮人数之众，既极力描写海潮的壮观，从声、色、形、势四个方面对潮水进行正面描绘，又以比喻、夸张的手法，写出了海潮的来势凶猛，颜色洁白，声势浩大，山河动容，一潮未平，一潮又起，生动地表现大自然惊心动魄的壮观。最后八句，感叹自身渺小，表达孤独愁闷的情绪。潮水来时，观潮者也感觉和大地一起漂浮了起来，浮游于天地之间，处于孤独无援的境地，成仙无望，欲归不得。联系诗人怀才不遇、贫病不堪的一生，这里其实也表达了诗人在社会大潮面前无能为力的内心忧虑以及无法言表的抑郁之情，真是"含不尽之意尽在言外"。全诗结构精巧，语言精练，形象生动。与《观潮行》相比，写景更加逼真生动，抒情更为豪迈俊逸。

黄仲则的诗受到很多赞誉，清代著名学者包世臣赞其为"乾隆六十年第一诗人"。清代袁枚在《仿元遗山论诗》云："常州星象聚文昌，洪顾孙杨各擅场。中有黄滔今李白，《观潮》七古冠钱塘。"以当代李白视之，并于《随园诗话》卷七抄录黄氏的《观潮行》与《后观潮行》。

93. 到石梁观瀑布[①]

袁　枚[②]

天风肃肃衣裳飘[③]，人声渐小滩声骄，知是天台古石桥。
一龙独跨山之凹，高耸脊背横伸腰，其下嵌空走怒涛[④]。
涛水来从华顶遥[⑤]，分为左右瀑两条，到此收束群流交。

五叠六叠势益高，一落千丈声怒号。
如旗如布如狂蛟，非雷非电非笙匏[⑥]。
银河飞落青松梢，素车白马云中跑[⑦]。
势急欲下石阻挠，回澜怒立猛欲跳。
逢逢布鼓雷门敲[⑧]，水犀军向皋兰鏖[⑨]，
三军组练挥银刀[⑩]，四川崖壁齐动摇。
伟哉铜殿造前朝，五百罗汉如相招[⑪]。

我本钱塘儿弄潮[⑫]，到此使人意也消，心花怒开神理超。
高枕龙背持其尻[⑬]，上视下视行周遭。
其奈泠泠雨溅袍[⑭]，天风吹人立不牢。
北宫虽勇目已逃[⑮]，恍如子在齐闻韶[⑯]。
不图为乐如斯妙，得坐一刻胜千朝。
安得将身化巨鳌，看他万古长滔滔！

［注　释］

①石梁瀑布：在浙江省天台山的中方广。瀑布之水有两源，水至中方广合流，其势宏大，山腰有衔接两山的石梁，长约7米，两端下削，中央隆起如龟背，又称石桥。瀑布自梁底向下喷坠，高数十丈，直泻深谷，声如雷鸣。②袁枚(1716—1797)，清代诗人、诗论家。字子才，号简斋，晚年自号苍山居士，钱塘(今浙江杭州)人。③肃肃：疾速的样子。④嵌空：深空。⑤华顶：天台山主峰。⑥笙匏(páo)：匏为八音之一，指笙、竽之类，故称笙匏。⑦素车白

马：枚乘的《七发》中有“如素车白马帷盖之张”的诗句。⑧逢逢（pēng）：鼓声。布鼓：泛指鼓。雷门：会稽城门，有大鼓，击此鼓，声闻洛阳。⑨水犀军：穿水犀甲的军队。皋兰：山名，在甘肃省皋兰县南，汉将霍去病曾与匈奴鏖战于皋兰山下。⑩组练：古代士卒的战服皆白色，借指穿这种战服的军队。⑪罗汉：佛家语，即阿罗汉，指能断尽三界一切诱惑的圣者。⑫作者为钱塘人，钱塘江每年八月有大潮，故云“我本钱塘儿弄潮”。儿弄潮：弄潮儿。⑬尻（kāo）：尾部，屁股。⑭泠泠：形容声音清越。⑮北宫：春秋时齐国勇士北宫黝。《孟子·公孙丑上》说，北宫黝培养勇气，皮肤被刺，毫不颤动；眼睛被刺，都不眨眼。诗反用其意。⑯“恍如”句：据《论语·述而》记载，孔子在齐闻韶乐，为其音乐之美所感，三月不知肉味。

［赏 析］

全诗分为三个部分。第一部分，通过作者由远而近的视角描写石梁瀑布的整体状貌：风越来越凉，越来越大，很远的地方就能感觉到瀑布；当来到它的面前，抬头一望，连接两座山峰的石梁就像耸背的巨龙，两股水流从天台山的主峰华顶流下来，在这里聚合，从龙身下向下喷射。第二部分专门描写瀑布，是这首诗的主体部分。第三部分写游人欣赏瀑布的感受，间接地写出了瀑布的雄伟气势。

全诗以写瀑布之水的第二部分最为精到。作者笔法绵密细致，先描绘水的落差、水的形状、水的声音、水的颜色，最后以突现瀑布的整体气势收束，自然流畅。诗歌运用各种修辞手法，增强了表现力。一是运用动与静的对比，“五叠—一落”是动态的描写，水势渐涨，层层叠叠，积聚到最大量的时候，突然从千丈高处落下；“如旗—非雷”是静态的写意，描述瀑布的形状和声音。动静对比，有利于全方位地描写瀑布，也更显出瀑布的伟力。另一个是运用比喻和夸张的手法，以彰显瀑布的雄伟气势，战鼓雷鸣，似有千军万马杀向敌阵；三军操练，银光闪闪，天摇地震，摄人心魄。袁枚的家乡有钱塘大潮，诗人见过大水的场面，但见到石梁瀑布，仍然叹为观止，甚至甘愿做水中之鳖，与瀑布融为一体，可见天台山上的石梁瀑布何等雄伟壮观！

94. 浪淘沙·北戴河

毛泽东

大雨落幽燕①，白浪滔天，秦皇岛外打鱼船。一片汪洋都不见，知向谁边？

往事越千年②，魏武挥鞭③，东临碣石有遗篇④。萧瑟秋风今又是，换了人间。

［注 释］

①幽燕：古地名，河北省北部历史上曾经先后属于幽州、燕国。②往事：指公元207年曹操率军讨伐辽西的乌桓部落。③魏武：即曹操，史称魏武帝，建安文学的代表人物。④“东临碣石”句：参见本书第68篇曹操《步出夏门行》的注释②和赏析。

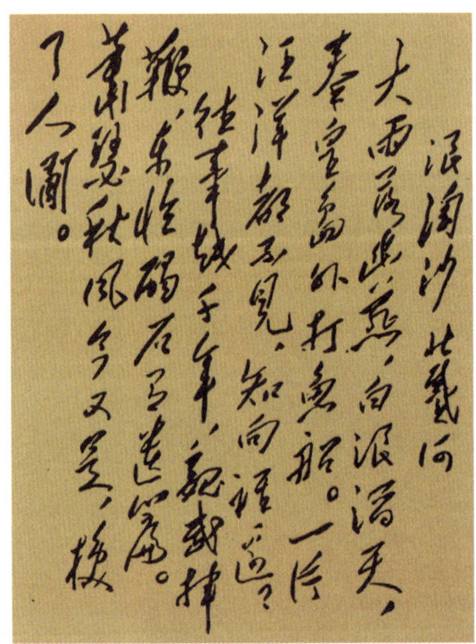

浪淘沙 北戴河

大雨落幽燕，白浪滔天，秦皇岛外打鱼船。一片汪洋都不见，知向谁边？往事越千年，魏武挥鞭，东临碣石有遗篇。萧瑟秋风今又是，换了人间。

［赏 析］

本词上片写景，景中含情。词人的视线由近及远，由“大雨”、“白浪”最后落于茫茫“汪洋”。在这种情境下，伟大与渺小、无限与有限的对比自然会引起人们对生命、对时间的追问。在辽阔壮美的自然景物面前，人往往会感觉到个体的渺小、生命的短暂，而面对这些景物，词人却异常兴奋，人与自然的关系由被动变为主动。词的下片抒情，情中有景。对“知向谁边”的疑问成为词人追溯历史的动力，并希望从历史中得到教诲。“东临碣石有遗篇”就是词人从古人那里得到的启示：人应该自强不息，像魏武帝那样去建功立业。而结句“换了人间”是对人推动历史前进发展的一种肯定，人在时间、空间面前不是碌碌无为的，在这里可以看到词人的自信与满足。

95. 在天池的下面

邹荻帆[①]

在天池的下面，
瀑布碰击岩石
粉身碎骨
化成亿万块碎玻璃
狂奔又呼号。
重压在山岩的地下泉
听到了
出迎了
含着热泪而纷纷拥抱，
那就是温泉！
在乱石的千百条石涧间
争先夺道。
啊
那是绝唱：
山谷的键盘
带着生命的不同的脉温
交响着歌潮……

[注 释]

①邹荻帆(1917—1995)，湖北天门人，诗人、翻译家。

[赏 析]

诗人1981年到长白山林区访问，在抗联战斗过的这块土地上感慨良多，因见瀑布、温泉奔涌、汇合，联想到抗联英雄唤起千百万人民共同战斗的豪

壮情景，遂成此诗。不过，若撇开诗歌的言外之旨，单就写水而言，本诗也堪称杰作。诗歌风格激越，气势凌厉，所写之“水”的几种形态让人如见其势，如闻其声。在本诗中，“水”的形态有天池、天池下的瀑布、地底下涌出的温泉三种。其中，瀑布、温泉是诗歌表现的中心。天池没有被具体描绘，作为瀑布、温泉展示其生命爆发力的背景，它和山岩、石洞、山谷等景物一起，构成了瀑布、温泉两大主角活动的舞台，这一舞台足以将瀑布、温泉之声势烘托得相当壮观。在本诗中，瀑布的特点被诗人把握得非常准确，它奔流而下，与岩石相撞，水花四处迸溅，如同亿万块玻璃碎屑。就诗歌的表达而言，真可谓声色俱佳，体势兼备。温泉的特点也被诗人以一个简单的短语——“含着热泪”表现了出来。最让人印象深刻的是，天池下面的瀑布与山岩下涌出的温泉汇流、相聚，融合为一，合力之大，让人觉得它们势不可挡。它们“争先夺道”，唱出生命的交响。诗人笔下的水，已经人格化了。这既是大自然的奇观，也是对生命力的礼赞！

96. 北方的河(节选)

张承志[①]

他抬起头来。黄河正在他的全部视野中急驶而下,满河映着红色。黄河烧起来啦,他想。沉入陕北高原侧后的夕阳先点燃了一条长云,红霞又撒向河谷。整条黄河都变红啦,它烧起来啦。他想,没准这是在为我而燃烧。铜红色的黄河浪头现在是线条鲜明的,沉重地卷起来,又卷起来。他觉得眼睛被这一派红色的火焰灼痛了。他想起了梵·高的《星夜》,以前他一直对那种画不屑一顾,而现在他懂了。在梵·高的眼睛里,星空像旋转翻腾的江河;而在他年轻的眼睛里,黄河像北方大地燃烧的烈火。对岸山西境内的崇山峻岭也被映红了,他听见这神奇的火河正在向他呼唤。我的父亲,他迷醉地望着黄河站立着,你正在向我流露真情。他解开外衣的纽扣,随即把它脱了下来。

她踉跄着冲过来,一把抓住了他的手臂。

"你干什么?"她气喘吁吁地喊,"你要下水?"

他回过头来,困惑地望着姑娘。

"不行!太危险了!"她坚决地摇摇头。好骄傲的男人呐,他以为我怀疑他那段英雄史。"我知道你能游过去……你已经游过去啦,"她紧紧抓住他的手不放,"不过现在没有必要这样,这太危险了!"她喊着,想使自己的声音压住河水震耳的轰鸣。

他谨慎地抽出了手,打量着她。这姑娘怎么啦?看来男子汉在关键的时候,身边不能有女人。她们总是在这种时候搅得你心神不宁。她们可真有本事。

"别游了,太危险,"她仰着脸望着他说。"咱们不如聊聊天。要不,我再照几张照片,你对着黄河温温功课。"带着变焦距长镜头的相机沉重地在她胸前晃动着,他觉得她那长长的脖子快被那机器坠断了。他挺想帮她托着那台金属的大相机。

"你去照你的相吧,上那边转转,"他嘎哑着嗓子,不高兴地嘟哝着,"我

有点私事，你最好走开点。”

“不！”她喊起来，“这是黄河！你懂吗？”她把两只小手攥成可笑的拳头晃着。

我不懂，难道你懂么。他被深深地激怒了。谁叫你那么愿意和姑娘往一块儿凑？瞧她狂的。你懂，你大概只懂怎么把头发烫得更招人看两眼。他恨恨地咬着嘴唇，几乎想骂出一句粗话。

“喂，你听着：我不认识你。你不是已经找着招待所了吗？”他尽量有分寸地说。

她怔了一下，然后退了两步。他看见她脸上的神情先是凝固了，接着就渐渐褪尽。“好，随你吧，”她小声说道，双手扶住胸前的相机。他看见她的眼睛里充满了痛苦和责备的神情。

他吃惊地望着她。她这会儿显得真动人，简直像尊圣洁的雕像。你们真行，姑娘们。怪不得我一下子就吐出了心底的秘密，这秘密我从来没向任何一个人说过。他抱歉地搓搓手，“对不起，”他说，“我有个爱发火的坏毛病。”

“你太凶了，”她伤感地说。为什么要这样对待别人呢，我已经看透了：在最深的意识里，他们都一样。“真难得，刚才你还算诚恳些。我以为……”

“刚才我是在瞎编，”他打断了她的话。我为告诉了你那个而羞耻呢，他想。“你别当真。”

“不！人应该学得真诚些！”她激烈地反驳着，“而且——”而且你也用不着那么骄傲。讲人生滋味，也许我尝得比你多得多。她涨红了脸，突然颤声说：“我也没有父亲，我也好久好久没有喊过爸爸这个词儿，而且……我也一想到这个词就难受。”

“哦？”他吃了一惊。

“他在一个中学传达室工作，当打钟的工友。他们说，他在解放前当过国民党的兵，是残渣余孽。一九六六年，他们把他打死了。就在那个传达室里。那一年我十二岁，小学六年级。”她平静地说着，眼睛一直凝视着他。

“我懂了。”他冷峻地迎着她的目光，“你骂吧！我在那时候也是一个红卫兵。”

她疲惫地摇摇头，叹了口气：“不，我不骂。而且，我一眼就看得出来，你和那些人根本不一样。那些人——”

“狗东西！”他从牙缝里恶狠狠地咒骂着。“你太粗野了，”她忧郁地说。他从她低柔的声音里感到一种距离很近的信赖。

"后来呢?"他阴沉地问。

"我母亲有病,青光眼。医生说她一急就会失明。所以,我……"她的头低下去了。他看见她的黑头发在风中颤抖着。"我就一个人跑到那个传达室,给爸爸洗身上的血。"

"好了,别说了,"他轻声打断了她。

"我用一块毛巾给爸爸洗身上的血。那血,那血——"

"别说了!"他转过身去。

她微张着嘴,安静地望着他的肩膀,接着就颓然坐在沙滩地上。被高原的烈日烤了一天的粗砂子舒服地烙着她。她感到心情非常宁静。是呵,别说啦。他全明白。像他对我一样,我也把一切都对他说啦。

他默默地面对着黄河站着,风拂着他裸着的前胸。我不能想像,小妹妹,他想。他的确不能想像,这个眼睛黑黑、身材柔细的姑娘,心里怎能盛着那么沉重的苦难。

这时,黄河,他看见黄河又燃烧起来了。赤铜色的浪头缓缓地扬起着,整个一条大川长峡此刻全部熔入了那片激动的火焰。山谷里蒸腾着朦胧的气流,他看见眼前充斥着,旋转着,跳跃着,怒吼着又轻唱着的一团团通红的浓彩。这是在呼唤我呢,瞧这些一圈圈旋转的颜色。这是我的黄河父亲在呼唤我。他迅速甩掉上衣,褪掉长裤,把衣服团成一团走向那姑娘。"不,太危险了,"她仰着头恳求着他。他又清楚地听见了这声音里的那种信赖。他感动得心里一阵难受。"拿着,等着我,"他低声说,"你看那渡船泊在对面呢,我回来时坐渡船。"他望着那姑娘的黑发在风中飘拂着,他使尽力气才忍住了想抚摸一下这黑发的念头。时间不早了,他想,他又看了一眼那姑娘的头发,就急匆匆地朝着那片疾速流动的火焰奔去。

她站了起来,紧抱着他脱下的乱糟糟的衣服。这衣服上带着一股强烈的男人的汗味儿和烟草味儿。糟糕,我好像爱上他啦,她惊慌地想。但她马上赶跑了这个怪念头。一丝冷静的神色慢慢地浮上了她的黑眼睛。她缓缓地端起了沉重的相机,那团衣服一下子落在沙滩上。她迅速地顾盼了一下视野左右,冰冷的目镜轻轻地、稳稳地抵住了她的眉梢。她不出声地拉动着照相机镜头上的变焦环,沉着地分析着目镜中的画面和她心中闪过的感受。

她看见了一幅动人的画面:一条落满红霞的喧嚣大河正汹涌着棱角鲜明的大浪。在构图的中央,一个半裸着的宽肩膀男人正张开双臂朝着莽莽的巨川奔去。

她嘴角泛出了一个紧张的笑纹。当那男人纵身扑向黄河的一刹,她稳

稳地按下了快门。

他垂直对准着河对岸的山。他双臂均匀地划着水。我就这样游，注意手臂推水时别太猛，两腿后蹬时也要用劲均匀，你总喜欢用力过猛。记得那次我就是这样，游蛙泳，但头不埋进水里。要用眼睛瞄着从上游打来的浪。绝对不能抽筋。他觉得浑身被温暖的河水浸得很舒服，但他的每一根神经都绷紧着。那回你登上山西的河岸时，激动得跳着喊了一声“万岁”，可是你不知道有个十二岁的小女孩在用毛巾擦着父亲尸体上的血污。“你真够浑的，”他说出了声，一个浪头哗地打在他脸上，使他把后半句咽了回去。今天我才明白，你是仗着黄河父亲的庇护和宽容才横渡成功。这时他停了一瞬，河水浮力很大，他感觉着身躯被浑重的河水托住的滋味。真的，黄河在保护着我呢，他想。他心里又掠过一阵激动。接着他笔直地对准了山西，对准了雄伟的吕梁山脉。他在浪头打来时吐气，在浪峰上吸气。他瞥见自己肩头的肌肉上水珠滚动。我感激你，小姑娘，你使我得到了宝贵的修正，而且你还给了我那样的信任。你居然看得出来。是的，那时我是个地道的红卫兵，但是我没有打过人，更没有打过你那当工友的爸爸。不过，我愿意也承担我的一份责任，我要永远记住你的故事。他觉得自己心情沉重，但他也觉得自己的心变得丰富了。他全神贯注地游着，这时，他看见了河的中流。

一下跌入中流，他就吃惊地发觉黄河正疯狂地搂着他飞跑。一条小鱼碰了他的大腿一下，他觉得那鱼像是对他闪电般地一刺。接着他又碰上了几条，每碰上一条都像挨了清晰的一击。他还仿佛听见了鱼群的叫声。不过中流的水面平稳极了，像凝固的一块在滑走。他想起了那姑娘对黄河的形容。我愿对你承担责任，十二岁的小姑娘。他想，既然当时我像只小鸭子一样毫无顾忌地跳下河水，既然我那时不懂得关心和感受世界上的痛苦。他发现他正被中流的河水抓着迅速向南滑翔着，他赶快对正河岸，努力游着。黄河，他默默地唤着。今天我已经不是那只肤浅的小鸭子啦。黄河轰轰地应声响着，对岸壁立的悬崖已经很近了。这石壁已经近了，他想，这石壁在动呢，像是移动着向北走，他深吸了一口气，更专心地游着。

渐渐他觉得两臂上的三角肌发酸。我累了，他警觉地想。上一次我一点儿也不觉得累，记忆中只有轻松活泼、满心舒畅。这回刚游了一半你就累了，而且这回你没有走那四十里路，肚子里是白面荞麦馅饼而不是青枣子。伙计，你在衰老。他突然觉得满心凄凉。十几年流逝得像这黄河水。你还没有长成人，你的肉体就已经开始要背叛你。可是我的青春别想背叛！“妈的，我活着就不让你背叛！”他又骂出声来。他划上一个浪峰吸了一口气，脸

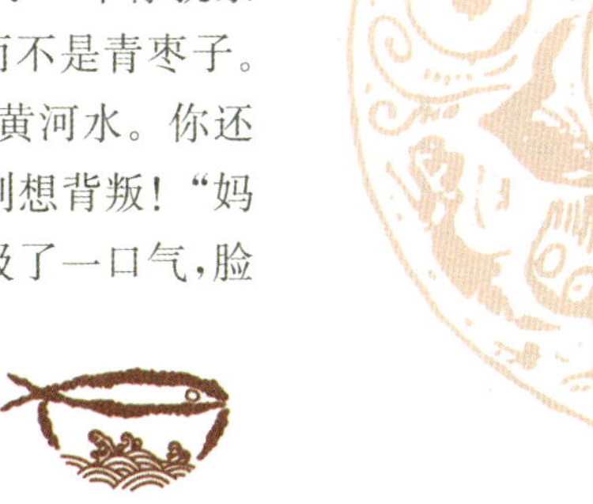

颊仿佛在发烧。他记起了那姑娘的责备。你总在讲粗话，十几年来，你变野了。可是十几年来我经历过多少啊，我变野了也变文明了。我受过汉语专业本科训练，我还将是地理学的研究生，我可不是不会文质彬彬。不过别再当着那姑娘说粗话，他嘱咐自己。十几年来不知她变没变。她那惊人的坚强和眼光不知道是不是背叛过她。应该对她温和一点，十二岁就有过那么一段经历的姑娘，应该多得到些温暖，包括语言。他使劲地游着，这时他渡过了块状滑行的中流，看见了速度慢得多，但是浪头很大的东侧的浅流。

他的心激动地跳了起来：河岸已经近在眼前啦。他的喉头哽住了，呼吸有些急促。哦，黄河父亲又一次护卫了我，剩下的这二百米我可以稳稳游过去。肉体也没有背叛，三角肌忍住了疲乏，严格地服从了青春指挥。我还没有衰老，我不会衰老的，他高兴地想。我可以帮那姑娘的忙，找到那个带头毒打她爸爸的恶棍，把那个贵族味儿十足的恶棍揍一顿。"狗东西!"他又骂了一句。这时他冲出了中流。河水的流速骤然减了下来，他又开始瞟着上面打来的浪头。不过，教训贵族的事儿应当留给她的男朋友或是丈夫干，我呢，我可以请她吃一顿。吃饭的时候，我给她唱一个额尔齐斯河边的哈萨克情歌，让她觉得世上好人多，让她觉得没有看错人。然后我就去专心地研究人文地理学。

他在激浪中游到了离河岸十几米的水面。眼前粘满青苔的岩壁飞快地移动着。这水流得太快啦，他想。就在这时他瞥见一块从河底伸出的巨石正朝他冲来。他蜷起身子，双脚拼命地蹬了那石头一下，巨石在水里半隐半现地一掠而过。流得太快了，这水把我冲下去啦，他有些惊慌。他奋力扬起臂膀，鼓足力气，用爬泳对准山西的石壁冲刺，他觉得石崖上的绿苔已经伸手可触了。可是河水抓着他仍然向下飞流。闪过的石壁上的纹理裂缝晃得他睁不开眼睛。两条手臂突然瘫软了，他感到肩头上沉重如铅，酸疼难忍。河水拥着他贴着石岸滑下，他看见又一块狰狞的巨石朝他驶来了。他低哑地从喉头里吼了一声。他蔑视这块礁石，他知道自己已经胜利。他用尽全身力气扑向河岸。当他看见陡崖上的一个棱角闪过眼前时，他一把攫住了它。他的身体立即被河水冲得横了过去。他的身躯翻转了，右臂被一股强力重重地拉了一下。他死死抓紧了右手攀住的那个石棱，感到急流正在他的两个肩头和两只脚掌那儿哗哗地激起浊白的浪花。

他心满意足地闭上了眼睛。温暖多沙的水流抚着他的肉体滑过，朝着他的身体指着的方向继续向前。浑黄的浪头激烈地推撞着他，在他四周响成轰轰的一片。黄河父亲，他想道，我感激你。接着他逆着水流收起双腿，

然后牢牢地踏住了坚实的石岸。

[注 释]

①张承志(1948—),回族,出生于北京。当代著名作家。

[赏 析]

《北方的河》中的“他”准备报考人文地理学研究生,在本科毕业后亲自去考察几条北方的河。小说将北方的河作为抒情的客体,将充满青春活力、执着追求理想的“他”作为感受的主体,主客体相互映射而使小说成为一个具有开阔空间的艺术整体,并呈现出理想主义的风格。

本文所节选的文字侧重描写主人公对黄河的感受。“他”与一个从事摄影的姑娘邂逅,一同去感受黄河。此处对黄河的描写很有特色,为人称道。从小说中不难看出,这里的“黄河”形象具有鲜明的个性。人们通常说,黄河是中华民族的母亲河。张承志也许觉得这个比喻突出了黄河的宽厚可亲却没有显示出威力和刚健,因此他有意把黄河“雄化”,描绘成“父亲”的形象——倔强刚烈,热情澎湃。在主人公的眼中,河床里流动的不是滚滚黄水,而是一川燃烧的烈火,赤铜色的浪头化作激动的火焰,山谷里蒸腾着通红的浓彩。“他”的生命流程与黄河的奔腾不息合而为一。如此性格的河流,早已不是科学意义上的黄河,它被注入了作者的激情,融进了作者的躁动。《北方的河》创作于20世纪80年代初期,那时,中国社会在经过“文革”的压抑后进入到一个充满生机的新时期,知识分子普遍有一种理想主义追求。作者在《北方的河》中表达出来的激情、躁动与当时特定的时代氛围紧密相关,由此,这里的“黄河”被作者赋予了一种理想主义精神,成为小说主人公的“精神父亲”。从更深的层面上来看,黄河之为“精神父亲”,主要在于它给躁动不宁的灵魂提供了巨大的皈依空间。这段文字的最后,详细地写出了“他”横渡黄河的情景,“他”的理想、躁动、苦难、追求,以及时代的理想、躁动、苦难、追求,都在黄河中得到了包容,得到了支撑,得到了理解。由此,黄河成为时代精神、民族精神的化身。

97. 青海湖，梦幻般的湖[①]（节选）

冯君莉[②]

我扑向七月的清晨，深深地呼吸着雨后甜润的空气，瞬间，我惊呆了，像是无意中扑进一幅巨大的画卷，失去了中心和方向。我的眼前，一片镶着露珠的绿茵茵的草滩，草滩上生长着一垄垄黄灿灿的油菜花，在这绿色和黄色的背后，又衔接着一派无边无际的蓝色的湖水。那草滩的绿，绿得娇嫩，那菜花的黄，黄得蓬勃，而那湖水的蓝，又是蓝得那么醉人啊！它蓝似海洋，可比海洋要蓝得纯正；它蓝似天空，可比天空要蓝得深沉。青海湖的蓝。蓝得纯净，蓝得深湛，也蓝得温柔恬雅，那蓝锦缎似的湖面上，起伏着一层微微的涟漪，像是尚未凝固的玻璃浆液，又像是白色种族的小姑娘那水灵灵、蓝晶晶的眸子。正当我折服这蓝色的魅力，而又苦于找不到恰当比喻的时候，我突然忆起少数民族对青海湖的称呼。在蒙古语里，它被叫作"库库诺尔"，在藏语里，它被叫作"错温布"，都是"青颜色的大海"之意。为什么叫作"青色的海"而不叫作"蓝色的海"呢？其实，青海湖所以如此湛蓝，因为湖面高出海面三千一百九十七米，比两个泰山还高，湖水含氧量较低，浮游生物稀少，含盐量在百分之零点六左右，透明度达到八九米以上，因而，湖水就显得晶莹明澈。我明白了，难怪青海湖要比其他的蓝色显得更美，更醉人呵！

再顺眼望去，在青海湖所能目极的尽头，在水天相连的地方，是一道尚未退却的乌云，它翻滚着，好似奔腾的骏马。再往上，就是那雨后所特有的万里无云的晴空了，这淡蓝色的苍穹一直伸展到我的身后，垂向一片碧绿的草滩，草滩后挺立着连绵起伏的深褐色山峦。而我的脚下，银色的公路像是一条哈达，逶迤着伸向遥远的地方……一幅多美的画卷啊！而这其中的一切，又都浸透了黎明的生气，浸透了晨雨的滋润，显得这么清新，这么幽静。那晶莹的雨珠隐隐约约地闪露在草丛中、花瓣里、湖面上，以及山峦的顶端空气的分子之间，只要轻轻地吸一口空气，甜丝丝的，凉爽爽的。我几乎醉了，想跑，怕破坏这画卷的安谧；想喊，又怕惊动这画卷的宁静。我看看不远处那位年轻的司机，他仍旧那么肃穆，默默地望着远处的一个地方，丝毫没

有交流情感的意思，而草滩上那几匹漫步的牦牛，更是分外的悠闲。我只有独自默默地伫立着，任大脑在美中陶醉，任心潮在美中起伏。我曾经领略过西湖的妩媚、东湖的清丽、南湖的庄严、太湖的辽阔，以及鄱阳湖的帆影、玄武湖的桨声、昆明湖的笑语，可是此时，也许是偏爱的缘故，我却被青海湖的质朴所震慑，原先那些华丽的感慨被一股大自然的魅力所推翻了。我幻想着，当年大自然这真正的造物主在创造青海湖的时候，面对偌大一块画帘，一定毫无犹疑地甩下那些精细的刻刀，酣畅淋漓地挥舞着最大的画笔，一抹黄，一抹绿，一抹蓝……大笔泼洒勾勒，因此，留下了这没有丝毫粉饰雕琢的湖。留下这粗犷的美，自然的美，质朴的美。

谁说一见钟情总是轻浮的呢？在某种机缘下，突然遇见自己或朦胧向往或苦苦追求而又始终未能获得的美好的事物，怎能不一见生情呢？

[注 释]

①本文节选自作者同名散文的第二部分，原小标题是《梦境的继续》。青海湖：为我国最大的咸水湖，湖岸有草原，是良好的天然牧场。②冯君莉（1956— ），天津人，当代作家。

[赏 析]

这是一篇写青海湖绮丽风光的散文。

第一段侧重写如诗如画、亦真亦幻的青海湖风光。使作者在瞬间“惊呆了”的，是扑面而来的一幅由草滩的绿、菜花的黄、湖水的蓝构成的巨大的风景画卷。这幅画卷，色彩鲜明，层次丰富，主次分明。作者浓墨重彩，大笔泼洒勾勒，以绿色和黄色为背景，衬托出描写的对象——青海湖。连用“醉人”、“纯正”、“深沉”、“纯净”、“深湛”、“温柔典雅”、“蓝锦缎”等来形容湖水的蓝；借助“尚未凝固的玻璃浆液”、“水灵灵、蓝晶晶的眸子”两个喻体来表

现湖面微动的涟漪，将自己的感情完全融入进去，鲜明突出地描绘出青海湖的瑰丽，渗透出梦一样温馨的情愫。接着又将不同民族对青海湖的称呼的含义作比较，从地质学、地貌学的角度解释了青海湖水“湛蓝”的原因，使作品同时具有了艺术性和科学性。

第二段，以蓝色的青海湖为背景，用具体形象的语言生动细致地描绘青海湖的周边环境，把翻滚的乌云、雨后的晴空、淡蓝色的苍穹、深褐色的山峦、碧绿的草滩、银色的公路、晶莹的雨珠等按照特定的方位和具体的情状，井井有条地组合在一个完整、明丽而又十分和谐的画面之中。接下来，作者又将自己曾经领略过的国内著名湖泊和青海湖作比，突出青海湖所独具的“没有丝毫粉饰和雕琢”的“粗犷的美、自然的美、质朴的美”。

融情于景，情景交融，是这篇作品最突出的特点。作者在写青海湖的自然美时，把自己的主观感受倾注在自然景物之中，描写的对象成为自己的知己，表现了作者对美的强烈向往和对祖国河山的赞美之情。

98. 神湖和鬼湖[①]

马丽华[②]

塔尔钦是著名的朝圣者的驻地。通常百姓自带帐篷，招待所只接待印度旅游团和国内公职人员。但接待条件差，连漱口水也不易找到。好在我们原本也没指望更好些。也好在我们自己带被窝——在这方面，有关部门如果具有沙特阿拉伯对于穆斯林朝圣地麦加的一半管理意识就足够了。

在塔尔钦，其实见不到冈仁波钦的姿颜，面对着的是远在辽阔大草原那边隐约可见的雄伟的高度为七千七百二十八米的纳木那尼峰。不久的将来，我们还会重返塔尔钦，围绕冈仁波钦五十七公里的转山道走上一圈再细细领略这众神之山。

与冈仁波钦神山齐名的，是玛旁雍措圣湖。这座高原湖面积四百一十二平方公里，海拔四千五百八十七米，最大深度七十七米。若论其大，其深，其(海拔之)高，其美，玛旁雍措跻身于青藏高原的众湖之国中都难称“之最”。唯有其神、其名，使得众湖唯唯退避。它被尊为高原湖泊之国至高至贵的王后。

我们在离开塔尔钦不久后便望见了它！玛旁雍措正如期待中的那样静候于此。彼时所见的天光水色出神入化，仙境不过如此尔尔。幽蓝的湖面碧波轻荡，湖周远山隐约迷茫，悠远的晴空里装帧着多层次的云。最浅表一层的云朵累累，是任意放牧着的灵异们。以蓝色为主旋律的大自然交响乐章，就那样无时无刻不在那里无声地轰响。无论人们是否见过它，见过它而是否想过它，它都在那里不懈怠地轻荡或汹涌，那是整座湖面全部投入的恒久的运动。此刻远在拉萨，我也能感应到那韵律并在心底引起共鸣。在坚硬干燥的西部西藏，绵软柔润如斯者，少而又少。它以它特有的色彩和物质

属性参与着这片被风干了的土地，显示了造化的宽慈与无所不能。关于玛旁雍措的传说不胜其多。由于它与冈仁波钦一道同为佛教、本教、印度教、耆那教所崇奉，所以每一宗教对于它都有不同的解释，并赋予它不同的功能。在佛教经典中，它被称之为“阿耨达池”③：“在瞻部洲之中心、香山之南、大雪山之北。周八百里。金银琉璃颇胝饰其岸④。金沙弥漫。波清如皎镜。八地之菩萨，以愿力故，化其龙王使居之。中有潜宅。出清冷水，给瞻部洲。”（《佛学小辞典》）

在印度，它的名字叫玛那沙罗发尔——玛那沙湖。几千年前它就在印度的古老经典中被赞颂：

凡是身体触到玛那沙罗发尔的土地，或在它的浪潮中沐浴过的人，将走进勃拉马的天堂；谁是饮过它的水的，则将升上湿婆的天宫里，并解脱百次轮回的罪孽；就是负有玛那沙罗发尔之名的畜生都会走进勃拉马天堂的。湖水像明珠似的。没有比得上喜马拉雅的山脉的，因为凯拉斯（冈仁波钦）山和玛那沙罗发尔湖都在喜马拉雅里。正如露水为朝霞所消毁一样，人类的罪孽也就因着喜马拉雅山的瞩望而涤除。

在印度的许多古典名著中，也屡屡提到这座湖。著名的抒情长诗《云使》（公元四—五世纪，迦梨陀娑著）中就有这样的诗句：

（天鹅之群）赶往玛那沙湖，

一路以莲芽为食品。

饮一饮生长金莲花的玛那沙湖水……

印度人认为这里是天鹅之王的住处。

在西藏，此湖古名为“玛垂措”。因为湖内居住着广财龙王，遂以龙王之名“玛垂”命名。后来佛教战胜了本教，更名为“玛旁雍措”，意即“永恒不败之湖”。另译为“玛法木措”。

曲尼多吉所著《玛旁雍措概说》中依据藏传佛教噶举派的观点介绍了湖的形成：玛旁雍措诞生之先，曾有一个心如菩萨一样慈悲的国王木崩，在去往丛林的路上看到了人们生老病死的苦状，便询问他的老师昌塞退波：这些痛苦难道应该属于贤明君子吗？老师回答：这些痛苦归于所有众生。国王便请教解除痛苦的办法。老师说，唯有布施。于是国王令人修了许多房子并邀集了所有贫苦受难者提供为期十二年的温饱。于是地面上烧饭的灶坑越挖越多，倒出的淘米水越聚越多，十二年后变成了大湖。湖边有一棵树，树名“赞木直下”，果实有陶罐那么大。有一天果实落在湖中，发出“赞木”声响，由于水和树的作用，落入水中的果实变成了金子。玛旁雍措有四条浴池

口,东口有五种沙子,南口有五种香草,西口有五种碱料,北口有五种彩石。沿湖周围建有八座寺庙。每座寺庙各有来历……

距今八十多年前的一九〇七年的七、八月间,瑞典探测家斯文·赫定来到玛旁雍措,着手探测它的面积、水深及与某些河流的关系。他在此住了一个月,走遍了这八座寺庙。他在《亚洲腹地旅行记》中记录了他的工作,也记载了这类见闻,他描述了寺中僧人:剌尔吉比(恰吉寺?)庙只有一个孤独的喇嘛,当他早晚敲大钟时,听见钟声的只有他一人。钟声铸有六字真言随着声波将其奥秘传布到整个圣湖。在丘寺(齐吾寺),十二岁的真挚而忧郁的少年活佛,过腻了单调生活,想要陪赫定出游山里,启程时却又缺乏勇气了。

斯文·赫定于那一年的七月二十六日夜间划船到玛旁雍措湖心工作,看了月夜又欣赏了日出,连续工作了十八个小时。其后再次的湖面测量时,突然遇到飓风。惊涛骇浪中,小船被抛上抛下像枚核桃壳一样。斯文·赫定的旅行和事业总是充满了艰辛危险。在那曲地区旅行时,我就关注他的行踪;而今我到了阿里,也处处与他所记述的相印证。为此,我在赞颂自己善良、温和的同胞的同时,也不得不钦敬那些为了事业甘愿吃苦冒险的西方人。我所看到的中国科学院青藏高原综合科考队的专著《西藏地貌》等大书中,还多处沿用了斯文·赫定当年的测量数据。

与玛旁雍措神湖相邻的是拉昂措鬼湖。前者为淡水湖,后者为微咸水湖。不知为何将同样美丽的拉昂措打入另册,大约出于湖水人畜不能饮用的实用心理;最根本的也许源于古老的二元思想。去普兰必得沿鬼湖岸走上老半天。此湖因其命定的厄运显得荒寂冷落,人们对鬼湖的过失总是耿耿于怀,斯文·赫定就记述了他的上一个冬天,有五个人横穿结冰的湖面时,冰破裂,五个人一齐淹死的情况。在普兰的老贡嘎也谈到,当年他表哥赶着牛走在鬼湖冰面上,掉进冰窟三头牦牛和一顶帐篷。

其实神湖鬼湖原本一湖,由于气候变化湖泊退缩才一分为二。百姓们至今还说两湖底是相通的。同时神湖、鬼湖之间有一河槽,神湖之水可沿河槽流进鬼湖中。百姓说,如果随水流入了金色鱼和蓝色鱼,鬼湖的水就可以饮用了。

斯文·赫定特意考察过这条河道，证明在雨水较大的年份，神湖之水会沿着这河道流入鬼湖，虽然他此次与下一次（一九〇八年）的两次考察都只见干涸的河槽。

这条河槽就在齐吾寺附近。我们先就把车停在距寺庙不远的地方，准备生火烧茶吃早点，南希他们带上哈达朝拜寺庙。听说现今齐吾寺僧尼同寺。还听说那里有被称之为寺宝的稀罕之物，大约是彩石、沙子之类，可惜我们顾不得观赏，要去圣湖取水。但这湖岸水浅，无法取出水来，只得将车开到名叫“才”的地方。那里砾石铺于水下，湖水清清。

用小小的塑料酥油桶打了茶。圣水将洗净我们今生罪孽了吧！一台东风车开了过来，敞篷车厢里盛满去神山朝圣归来的普兰的百姓们。他们下车，各自举行祭拜仪式，喝湖水，洗脸。不似印度人洗沐得彻底：印度人总是穿得极单薄，妇女则披着纱丽就全身浸入水中，如在恒河里一样。印度教是极其重仪式重偶像崇拜的宗教。一位印度香客告诉我们圣湖的来历：印度人祭拜凯拉斯（冈仁波钦）而缺乏净水时，创造之神便用意念制造了这座圣湖。

我们在湖畔耽搁了很久。在这样壮伟美丽的湖边，无论做着什么或什么都不做，都一样的美好。回想起在那曲时，在那四十万平方公里的北方高原，总那么处处发现处处惊喜。这种发现和惊喜充斥了一整本《藏北游历》。而此刻的我，面对最该动心动容的圣湖景致，倒是分外的宁静，静若止水。只感到内心融融着空前的安然怡然恬然适然。如果不是自己已进入了某种境界，就只能这样认为了：较之那曲，此前我把阿里设想得更为大壮大美；此际，它果然默契一般迎合了我的期待视野！

［注 释］

①选自马丽华长篇纪实散文《西行阿里》，题目为编者所加。②马丽华（1953— ），女，山东济南人，1976 年进藏，曾长期从事《西藏文学》编辑工作。记录她游历西藏的代表作品有长篇纪实散文《藏北游历》、《西行阿里》、《灵魂像风》等。③耨：音 nòu。④胝（zhī）：皮厚成茧；手脚掌上的茧巴。

［赏 析］

马丽华的西藏游记给读者带来了那里清新而神秘的空气，让人们眼界为之开阔，灵魂为之平静，凡尘俗念在其中经历着洗涤。

此处节选的文字集中写湖，即"神湖"玛旁雍措和"鬼湖"拉昂措。由于西藏独特而迷人的地域色彩，"神湖"和"鬼湖"显得澄澈、清洁，与周围的景物天然地契合在一起，显示着天地之大美。非常有意思的是，"神湖"和"鬼湖"原本为一湖，两者之间有一河槽相通，但两湖的命运却迥然有别。神湖有着仙境般的风光，在坚硬干燥的西部西藏，它的绵软柔润弥足珍贵；但"神湖"之"神"，主要不是源自它的风光，而是源自它缤纷多彩的传说。多种教派慷慨地将宗教内涵赋予玛旁雍措湖，使它萦绕着一层又一层的神秘色彩。与"神湖"相映成趣的是"鬼湖"。在作者看来，"鬼湖"之"鬼"首先源自人们的一种实用心理：因为它是微咸水湖，人畜不能饮用其水。而从人们的深层心理看，则是源自古老的二元思想："鬼湖"与"神湖"相互映衬、相伴而生。鬼湖的"厄运"遂不可避免，"鬼湖"的传说遂与"鬼"字紧密相关。它的"过失"让人们耿耿于怀，并使"鬼湖"在神秘之外隐约带着一种恐怖色彩。与人们对"神湖"的顶礼膜拜相反，人们对"鬼湖"避之唯恐不及。所有这些，都使得文章对两湖的描写饶有趣味。"神湖"和"鬼湖"，都带着西藏独特的地域色彩，不仅吸引着读者的眼睛，还吸引着读者的灵魂。

99. 致大海[①]

[俄]普希金[②]

再见吧，自由的原素！
最后一次了，在我眼前
你的蓝色的浪头翻滚起伏，
你的骄傲的美闪烁壮观。

仿佛友人的忧郁的絮语，
仿佛他别离一刻的招呼，
最后一次了，我听着你的
喧声呼唤，你的沉郁的吐诉。

我全心渴望的国度呀，大海！
多么常常的，在你的岸上
我静静地，迷惘地徘徊，
苦思着我那珍爱的愿望。

啊，我多么爱听你的回声，
那喑哑的声音，那深渊之歌，
我爱听你黄昏时分的幽静，
和你任性的脾气的发作！

渔人的渺小的帆凭着
你的喜怒无常的保护
在两齿之间大胆地滑过，
但你若汹涌起来，
无法克服，

成群的渔船就会覆没。

直到现在，我还不能离开
这令我厌烦的凝固的石岸，
我还没有热烈地拥抱你，大海！
也没有让我的诗情的波澜
随着你的山脊跑开！

你在期待，呼唤……我却被缚住，
我的心徒然想要挣脱开，
是更强烈的感情把我迷住，
于是我在岸边留下来……

有什么可顾惜的？而今哪里
能使我奔上坦荡的途径？
在你的荒凉中，只有一件东西
也许还激动我的心灵。

一面峭壁，一座光荣的坟墓③……
那里，种种伟大的回忆
已在寒冷的梦里沉没，
啊，是拿破仑熄灭在那里。

他已经在苦恼里长眠。
紧随着他，另一个天才
像风暴之声驰过我们面前，
啊，我们心灵的另一个主宰④。

他去了，使自由在悲泣中！
他把自己的桂冠留给世上。
喧腾吧，为险恶的天时而汹涌，
噢，大海！他曾经为你歌唱。
他是由你的精气塑成的，

海啊，他是你的形象的反映；
他像你似的深沉、有力、阴郁，
他也倔强得和你一样。

世界空虚了……哦，海洋，
现在你还能把我带到哪里？
到处，人们的命运都是一样：
哪里有幸福，必有教育
或暴君看守得非常严密。

再见吧，大海！你壮观的美色
将永远不会被我遗忘；
我将久久地，久久地听着
你在黄昏时分的轰响。

心里充满了你，我将要把
你的山岩，你的海湾，
你的光和影，你的浪花的喋喋，
带到森林，带到寂静的荒原。

［注 释］

①《致大海》是普希金抒情诗中浪漫主义精神表现得最为鲜明的诗篇之一。这首诗的写作与诗人由敖德萨去米哈伊洛夫斯克有关。普希金居留敖德萨期间，曾急欲从流放地逃走，从海上偷渡出国。本诗由查良铮翻译。②普希金(1799—1837)，19世纪俄国伟大诗人。③指圣海伦那岛。④指拜伦。

［赏 析］

《致大海》写于1824年。1820年普希金被沙皇政府放逐到南高加索，1824年被遣送回乡。临别前夕，诗人登上高加索海边的岩石，面对波涛汹涌的大海，思绪起伏，写下了这首壮丽的诗篇。这是一曲对大海的庄严赞歌，是对人生命运的深沉感叹，也是对自由的热情礼赞。

诗人将大海视为知心朋友，声情并茂地赞美大海，并向大海倾诉自己的

苦恼和伤心。他首先是一往情深地话别大海，激情洋溢地讴歌大海。通过诗歌呈现在我们面前的大海，有翻滚汹涌的雄姿，有骄傲壮美的活力，有深渊之歌般的深沉浑厚，有滚滚滔滔的奔腾气势，更有喜怒无常的反复变化。大海时而温柔娴静，使人陶醉于它黄昏时分的幽静；时而惊涛骇浪，顷刻间会使成群的渔船覆没；时而深情缱绻，不舍呼唤，像与朋友告别；时而抑郁幽怨，如泣如诉，像是要倾诉忧愁。大海自由奔放，雄浑苍茫，具有一种惊天动地、狂放不羁的精神力量。诗人纵情歌唱大海的精神气度、性格力量，实际上是表达自己对自由的景仰，对伟力的崇尚。在诗中还深情缅怀了英雄拿破仑和伟大诗人拜伦，抒发自己崇尚自由而壮志难酬，敬慕英雄而前途渺茫的困惑。对于拜伦，诗人极尽讴歌之能事，认为他具有大海的形象，像大海一样“深沉、有力、阴郁”，有大海一样倔强的个性，是用大海精神塑造成长起来的。读这首诗我们会感受到，大海有博大的胸怀、恢弘的气度、奇伟的力量，是自由和力量的象征。诗人的心同大海一起跳动，诗歌所传达的自由之精神激励着一代又一代争取自由的人们。

100. 老人与海（节选）

[美]海明威[1]

偶尔有条船上有人在说话。但是除了桨声外，大多数船只都寂静无声。它们一出港口就分散开来，每一条驶向指望能找到鱼的那片海面。老人知道自己要驶向远方，所以把陆地的气息抛在后方，划进清晨的海洋的清新气息中。他划过海里的某一片水域，看见果囊马尾藻闪出的磷光，渔夫们管这片水域叫"大井"，因为那儿水深突然达到七百英寻[2]，海流冲击在海底深渊的峭壁上，激起了漩涡，种种鱼儿都聚集在那儿。那儿集中着海虾和作鱼饵用的小鱼，在那些深不可测的水底洞穴里，有时还有成群的柔鱼，它们在夜间浮到紧靠海面的地方，所有在那儿转游的鱼类都拿它们当食物。

老人在黑暗中感觉到早晨在来临，他划着划着，听见飞鱼出水时的颤抖声，还有它们在黑暗中凌空飞翔时挺直的翅膀所发出的咝咝声。他非常喜爱飞鱼，拿它们当作他在海洋上的主要朋友。他替鸟儿伤心，尤其是那些柔弱的黑色小燕鸥，它们始终在飞翔，在找食，但几乎从没找到过，于是他想，鸟儿的生活过得比我们的还要艰难，除了那些猛禽和强有力的大鸟。既然海洋这样残暴，为什么像这些海燕那样的鸟儿生来就如此柔弱和纤巧？海洋是仁慈并十分美丽的。然而她能变得这样残暴，又是来得这样突然，而这些飞翔的鸟儿，从空中落下觅食，发出细微的哀鸣，却生来就柔弱得不适宜在海上生活。

他每想到海洋，老是称她为 la mar，这是人们对海洋抱着好感时用西班牙语对她的称呼。有时候，对海洋抱着好感的人们也说她的坏话，不过说起来总是拿她当女性看待的[3]。有些较年轻的渔夫，用浮标当钓索上的浮子，并且在把鲨鱼肝卖了好多钱后置备了汽艇，都管海洋叫 el mar，这是表示男性的说法。他们提起她时，拿她当做一个竞争者或是一个去处，甚至当做一个敌人。可是这老人总是拿海洋当做女性，她给人或者不愿给人莫大的恩惠，如果她干出了任性或缺德的事儿来，那是因为她由不得自己。月亮对她起着影响，如同对一个女人那样，他想。

他从容地划着，对他说来并不吃力，因为他保持在自己的最高速度以内，而且除了偶尔水流打个旋儿以外，海面是平坦无浪的。他正让海流帮他干三分之一的活儿，这时天渐渐亮了，他发现自己已经划到比预期此刻能达到的地方更远了。

我在这海底的深渊上转游了一个礼拜，可是一无作为，他想。今天，我要找到那些鲣鱼和长鳍金枪鱼群在什么地方，说不定还有条大鱼跟它们在一起呢。

[注 释]

①海明威(1899—1961)，美国小说家，1954 年诺贝尔文学奖获得者。②英寻：测量水深的单位，每英寻等于 6 英尺。③西班牙语中的“海洋”(mar)可作阴性名词，也可作阳性名词，以前面用的定冠词是阴性(la)还是阳性(el)来区别。

[赏 析]

海明威的中篇小说《老人与海》的故事情节比较简单，写一个老渔夫桑提亚哥连续八十四天没有捕到鱼，后来好不容易捕到了一条很大的马林鱼，返航途中一路和鲨鱼搏斗，结果这条大鱼还是被鲨鱼吃掉，只剩下一副鱼骨架。他失败了，但是老渔夫在同鲨鱼的搏斗中却表现了非凡的毅力，始终保持了人的尊严，表现出一种百折不挠、坚强不屈的勇气及不败的精神。

小说选取大海作为背景，因为大海深不可测，神秘莫测，变化多端，具有不可抗拒的自然力，而且海与人类命运息息相关。人在茫茫大海上显得非常渺小，孤立无援。在老人眼里，海有时仁慈而美丽，有时却变得无比的残暴、狂怒。老人爱海，对海抱有好感，总是拿海洋当作女性，海的变化无常也被他看成像女人的任性，给予极大的宽容，即使干出些“任性或缺德的事儿来”，也是因为她由不得自己，是情不自禁。尽管海明威曾反对把《老人与海》看成寓意性作品，但作品的象征意义是显而易见的。“大海”象征着现实

生活，象征着这个社会，它永恒无限，神秘莫测，时而仁慈，给你带来丰厚的收获；时而残忍，狂涛巨浪，让你九死一生。人在无情的社会现实中，犹如那茫茫大海上的一叶扁舟，孤独无依，人与现实的抗争，显得多么的无力。现实世界是残酷无情的，但人还是应该勇敢地面对。老人不仅爱海，而且爱一切事物，把它们当作朋友。对海上显得柔弱的小燕鸥等小鸟给予极大的同情，“它们始终在飞翔，在找食，但几乎从没找到过”，不由得替鸟儿伤心，说它们生来就柔弱得不适宜在海上生活。如果大海象征着社会现实的话，那么这些小鸟就象征了现实世界中艰难生存的弱者。小说的描写也突出了老人富有同情心的人格美，同时与他和鱼搏斗的血腥行为形成强烈的反差，体现了老人复杂的性格。

「后记」

为了弘扬中国传统文化，挖掘发展中华水文化，河海大学结合自身的办学特色，在开展水文化研究的基础上，组织编写了《水文化教育丛书》。丛书的根本要旨，在于通过水文化知识的普及和教育，提高人们对水的战略地位的认识，以带动全社会水意识的觉醒和提升；教育人们树立科学发展的水利观，以增强对水的优患意识；培养人们爱水、节水、护水、亲水的情怀，以养成良好的水文化行为习惯；帮助人们提升水利工程建设中的文化自觉性，以确立人水和谐的科学发展理念。

《丛书》分为10个分册，分别为：《100条江河湖泊》，主编：吴胜兴，副主编：顾圣平、贺军；《100座城市与水》，主编：郑大俊，副主编：刘兴平、钱恂熊；《100项水工程》，主编：吴胜兴，副主编：沈长松、孙学智；《100例水灾害》，主编：颜素珍，副主编：唐德善、汤鸣鸿；《100位水利名人》，主编：王如高，副主编：刘春田、陈家洋；《100首水歌曲》，主编：蔡正林，副主编：刘兴平、沈俐；《100种水用具》，主编：王培君，副主编：戴玉珍、贺杨夏子；《100处水景观》，主编：蒲晓东，副主编：张彦德、潘云涛；《100篇咏水诗文》，主编：尉天骄，副主编：林一顺；《100个水传说》，主编：张建民，副主编：莫小曼、郑如鑫。

《丛书》封面上"水文化"三个字由水利部原副部长敬正书同志题写。在《丛书》的编写过程中，为了充分反映不同时期有关水文化的经典之作，各分册的编写人员通过多种途径，参阅和收集了大量的文献资料。这些文献资料对于进一步传播、发展和弘扬水文化，进一步提升人们的水文化素养具有重要价值。在此，我们对这些文献资料的奉献者表示衷心的感谢。

与此同时，我们还要说明的是，《丛书》各分册选列的是主要参考文献，未能详尽所有文献，在选引中也会有遗漏不全之处，亦敬请各位作者谅解。